Eva Hagenmüller

Über dieses Buch

Erzählung und Märchen, Wirklichkeit und Dichtung lassen sich in diesen Märchen nicht völlig voneinander trennen. Für den Inder besteht zwischen den drei Welten der Götter, Menschen und Dämonen kein grundsätzlicher Wesensunterschied, weshalb sie auch weder Märchen noch Mythe oder auch Tiererzählung als besondere Gattung empfinden. Nach der Lehre von der Seelenwanderung kann ein und dieselbe Existenz wechselnd in Pflanzen, Tieren, Menschen, Dämonen und göttlichen Wesen aufgehoben sein; reale und – im europäischen Sinne – irreale Welt verschwimmen so völlig ineinander. Trotzdem tauchen auch hier Elemente auf, die uns aus der europäischen Märchenliteratur bekannt sind: Hexenzauber und Dämonenspuk, Narrenlist, wie wir sie aus den Schwänken kennen, und Klugheit der Tiere. Den drei indischen Lebenszielen folgend, lassen sich die Märchen einteilen in solche, die dem Nutzen, solche, die der Religion, und Märchen, die der Liebe dienen. Dabei zeigt sich vor allem in den Liebegeschichten ein deutlicher Unterschied zwischen ostasiatischer und abendländischer Kultur. Das unbefangenere Verhältnis der Inder zum Erotischen hat Märchen entstehen lassen, die in ihrer Offenheit an die Geschichten aus Tausendundeiner Nacht erinnern.

In der Märchen-Reihe des Fischer Taschenbuch Verlags sind erschienen: ›Vietnamesische Märchen‹ (Bd. 925), ›Afrikanische Märchen‹ (Bd. 969), ›Indianermärchen aus Nordamerika‹ (Bd. 1110), ›Französische Märchen‹ (Bd. 1153), ›Spanische Märchen‹ (Bd. 1203), ›Irische Märchen‹ (Bd. 1225), ›Jugoslawische Märchen‹ (Bd. 1289), ›Skandinavische Volksmärchen‹ (Bd. 1321), ›Südamerikanische Märchen‹ (Bd. 1337), ›Koreanische Märchen‹ (Bd. 1365), ›Nordamerikanische Märchen‹ (Bd. 1390), ›Chinesische Märchen‹ (Bd. 1408), ›Japanische Märchen‹ (Bd. 1469) ›Märchen des Schwarzen Amerika‹ (Bd. 1497), ›Märchen aus Mallorca‹ (Bd. 1526), ›Keltische Märchen‹ (Bd. 1593), ›Märchen, Sagen und Fabeln der Hottentotten und Kaffern‹ (Bd. 1614), ›Märchen aus Rußland‹ (Bd. 1631), ›Märchen aus Portugal‹ (Bd. 1683), ›Märchen der Südsee‹ (Bd. 1684), ›Englische Märchen‹ (Bd. 1726), ›Zigeunermärchen aus Ungarn‹ (Bd. 1743), ›Jüdische Märchen‹ (Bd. 1759), ›Italienische Märchen‹ (Bd. 1803), ›Erotische Märchen aus Rußland‹ (Bd. 1823), ›Märchen aus Tibet‹ (Bd. 1858), ›Zaubermärchen aus Wales‹ (Bd. 1895), ›Märchen aus Bulgarien‹ (Bd. 1918), ›Arabische Märchen aus dem Morgenland‹ (Bd. 1987), ›Neue Jüdische Märchen‹ (Bd. 2016), ›Arabische Märchen aus Nordafrika‹ (Bd. 2802, Juni 1978), ›Indianermärchen aus Kanada‹ (Bd. 2806, September 1978).

Im Fischer Taschenbuch Verlag sind außerdem erschienen:
›Deutsche Volksmärchen seit Grimm‹ (Bd. 1175), ›Seemanns-Sagen und Schiffer-Märchen‹ (Bd. 1377), Iring Fetscher ›Wer hat Dornröschen wachgeküßt? Das Märchen-Verwirrbuch‹ (Bd. 1446).

Indische Märchen

Fischer
Taschenbuch
Verlag

Fischer Taschenbuch Verlag
1.– 22. Tausend: Oktober 1970
23.– 32. Tausend: Februar 1972
33.– 40. Tausend: Dezember 1972
41.– 52. Tausend: Juni 1973
53.– 65. Tausend: Januar 1974
66.– 77. Tausend: September 1974
78.– 90. Tausend: Juni 1975
91.–100. Tausend: Mai 1976
101.–110. Tausend: März 1977
111.–120. Tausend: April 1978

Umschlagentwurf: Jan Buchholz/Reni Hinsch

Fischer Taschenbuch Verlag GmbH, Frankfurt am Main

Gesamtherstellung: Hanseatische Druckanstalt GmbH, Hamburg
Printed in Germany
380-ISBN-3-596-21137-9

Inhalt

Wēdische Literatur

Hebung der Erde

Aus Fluten, aus Wasser bestand dieses All im Anfang. Auf diesen bewegte sich Pradschāpati, der Herr der Schöpfung, in Gestalt des Windes. Da erblickte er ein hervorstehendes Lotusblatt. Er dachte: »Es muß etwas vorhanden sein, auf dem es steht.« Da sah er die Erde. Er ward zum Eber und holte sie herauf. Er breitete sie auf dem Lotusblatt aus und festigte sie durch die Steine.

Wie die Gebirge entstanden

Pradschāpatis älteste Nachkommenschaft sind die Gebirge. Diese waren geflügelt. Sie flogen auf und ließen sich nieder, wo immer es ihnen beliebte. Nun war damals diese Erde noch lokker. Da schnitt Indra ihnen die Flügel ab. Mit diesen Gebirgen festigte er die Erde. Aus dem, was die Flügel gewesen waren, entstanden die Gewitterwolken. Daher schweben diese auf das Gebirge zu; denn es ist ihr Ursprungsort. Darum regnet es am meisten im Gebirge. Was beim Abschneiden der Flügel herausfloß, daraus entstanden die Karīra-Früchte. Darum ziehen so zur Regenzeit die Gewitterwolken auf. Man opfert deshalb dann mit dem Waruna-Praghāsa-Opfer, bringt Regen damit hervor. Darum regnet es dann am meisten, denn man bringt damit Regen hervor.

Die Sintflut

Dem Manu brachte man am Morgen Waschwasser, so wie man es noch heute zum Waschen für beide Hände bringt. Während er sich wusch, kam ihm ein Fisch in seine Hände. Dieser redete zu ihm das Wort: »Hege mich! Ich will dich erretten.« — »Woraus willst du mich erretten?« — »Eine Flut wird all diese Wesen hinwegspülen. Aus dieser will ich dich erretten.« — »Worin besteht deine Pflege?« — Er sprach: »Solange wir noch ganz klein sind, droht uns vielfaches Verderben, und besonders frißt ein Fisch den andern. Hege mich zuerst in einem Kruge! Wenn ich über ihn hinauswachse, so grabe eine Grube und hege mich in dieser! Und wenn ich über sie hinauswachse, dann trage mich nach dem Meere und setze mich hinein! Dann bin ich dem Verderben entwachsen. Dann wird in dem und dem Jahre die Flut kommen. Baue dann ein Schiff und warte auf mich. Wenn dann die Flut emporsteigt, so gehe in das Schiff. Dann will ich dich erretten.«

Nachdem Manu den Fisch so gehegt hatte, trug er ihn nach dem Meere und setzte ihn hinein. Und in dem Jahre, welches der Fisch genannt hatte, baute er ein Schiff und wartete auf ihn. Als die Flut emporstieg, ging er ins Schiff. Da kam der Fisch zu ihm geschwommen. Über sein Horn warf Manu vom Schiff aus eine Schlinge. Und dadurch ward er nach diesem nördlichen Gebirge, dem Himālaja, gezogen.

Der Fisch sagte: »Nun hab' ich dich gerettet. Binde das Schiff an einen Baum, damit dich, während du auf dem Berge weilst, das sich dazwischendrängende Wasser nicht vom Schiffe trenne. In dem Maße, in welchem das Wasser fällt, in dem sollst du ihm abwärts folgen.« Und er folgte ihm in dem Maße abwärts. Darum heißt auch diese Stelle des nördlichen Gebirges »Manus Abstieg«.

Die Flut hatte nun alle Geschöpfe hinweggespült, und Manu allein war übriggeblieben. Um Nachkommen zu erzielen, lebte er singend und sich kasteiend. Da opferte er auch ein Pāka-Opfer. Er opferte ins Wasser Schmelzbutter, saure Milch, sauren Rahm und Quark. Daraus entstand nach einem Jahr ein Weib. Noch im Emporsteigen schien es zu gerinnen. In seiner Fußspur sammelte sich Schmelzbutter. Zu ihm traten die Götter Mitra und Waruna. Sie sagten zu ihm: »Wer bist du?« — »Manus Tochter.« – »Sage die unsrige!« – Es sprach: »Nein! Derjenige, der mich für sich hervorgebracht hat, nur dem gehöre ich.« Sie begehrten einen Anteil an ihm. Ob es ihnen den gewährte oder nicht, jedenfalls ging es weiter. Es kam zu Manu. Manu fragte es. »Wer bist du?« – »Deine Tochter.« – »Inwiefern, Heilige, bist du meine Tochter?« – »Diese Opferspenden, die du in die Fluten geopfert hast, die Schmelzbutter, die saure Milch, den sauren Rahm und den Quark: daraus hast du mich für dich erzeugt. Ich bin der Segensspruch. Wende mich beim Opfer an! Wirst du mich beim Opfer anwenden, so wirst du reich werden an Nachkommenschaft, an allerlei Getier. Und welchen Segen du immer durch mich erflehen wirst, der soll dir alle zuteil werden.« Darum wandte er sie an in des Opfers Mitte. Das aber ist des Opfers Mitte, was da liegt zwischen den Vor- und den Nachopfern.

Er lebte mit ihr, singend und sich kasteiend, um Nachkommen zu erzielen. Durch sie erzeugte er alle lebenden Geschöpfe, welche Manus Geschöpfe sind. Und welchen Segen er immer durch sie erflehte, der ward ihm alle zuteil.

Tschjawana

Als die Bhrigu oder auch die Angiras in die Himmelswelt eingegangen waren, da blieb Tschjawana, sei es aus dem Stamme der Bhrigu, sei es aus dem der Angiras, gebrechlich und wie ein Gespenst aussehend, auf der Erde zurück. Scharjāta aber aus Manus Stamm wanderte mit seinem Stamme dorthin und ließ sich dort als sein Nachbar nieder. Seine Knaben hielten den Gebrechlichen und Gespensterhaften für unnütz und bewarfen ihn mit Erdklumpen. Da ward er auf Scharjātas Angehörige zornig und verhängte Uneinigkeit über sie. Der Vater kämpfte mit dem Sohne, der Bruder mit dem Bruder. Scharjāta sann nach: »Was habe ich getan, daß mir dies zugestoßen ist?« Er ließ die Kuhhirten und die Schafhirten zusammenrufen, redete zu ihnen und sprach: »Wer von euch hat heute hier etwas gesehen?« Sie sagten: »Hier liegt nur ein gebrechlicher Mann, der sieht aus wie ein Gespenst. Die Knaben haben ihn für unnütz gehalten und ihn mit Erdklumpen beworfen.« Da wußte er: »Das ist sicherlich Tschjawana.« Er schirrte seinen Wagen an, nahm seine Tochter Sukanjā mit sich und fuhr weg. Er begab sich dorthin, wo sich der Asket befand. Er sagte: »Wir neigen uns vor dir, Asket! Ohne es zu wissen, habe ich dich verletzt. Dieses Mädchen ist Sukanjā. Mit ihr leiste ich dir Genugtuung. Dafür laß meinen Stamm wieder einig werden!« Und von da ab ward sein Stamm wieder einig. Sogleich aber machte sich Scharjāta aus Manus Stamm wieder auf den Weg, um jenen ja nicht ein zweites Mal zu verletzen.

Damals wanderten die beiden Aschwin, die Götterärzte, heilend umher. Sie kamen zu Sukanjā und wünschten, sich mit ihr zu vereinigen. Diese aber war ihnen nicht zu Willen. Da sagten die beiden: »Sukanjā! Warum liegst du bei diesem Gebrechlichen, der wie ein Gespenst aussieht? Komm mit uns!« Sie sprach: »Den Mann, dem mein Vater mich gegeben hat, den werde ich nicht verlassen, solange er lebt.«

Dies merkte der Asket. Er sagte: »Sukanjā! Was ist es, das diese zu dir geredet haben?« Da erzählte sie es ihm. Als sie es ihm erzählt hatte, sagte er: »Wenn die beiden das wieder zu dir sagen, so rede zu ihnen: ›Ihr seid doch selbst wahrhaftig nicht ganz vollwertig und nicht ganz vollkommen; und da beschimpft

ihr meinen Gatten!‹ Wenn sie dich dann fragen: ›Inwiefern sind wir nicht vollwertig, inwiefern nicht vollkommen?‹, dann sagst du zu ihnen: ›Macht mir erst meinen Gatten jung; dann will ich's euch sagen.‹«
Die beiden kamen wieder zu ihr und sagten dasselbe. Sie sprach zu ihnen: »Ihr seid doch selbst wahrhaftig nicht ganz vollwertig und nicht ganz vollkommen; und da beschimpft ihr meinen Gatten!« Die beiden fragten: »Warum sind wir nicht vollwertig, warum nicht vollkommen?« Sie sagte: »Macht mir erst meinen Gatten jung; dann will ich's euch sagen.«
Sie sagten: »Wirf ihn in diesen Teich! Er wird mit dem Alter wieder heraussteigen, mit dem er es begehrt.« Sie warf ihn in den Teich, und er kam mit dem Alter wieder heraus, mit dem er es begehrte.
Die beiden fragten: »Sukanjā! Inwiefern sind wir unvollwertig, inwiefern unvollkommen?« Da antwortete ihnen der Asket selbst: »Dort in Kurukschētra feiern die Götter ein Opfer; euch beide aber schließen sie von dem Opfer aus. Insofern seid ihr unvollwertig, insofern unvollkommen.« Sogleich machten sich die beiden Aschwin auf den Weg.
Sie gingen zu den Göttern, welche das Opfer feierten, und sagten: »Ladet uns beide ein!« Die Götter aber sagten: »Wir werden euch nicht einladen. Ihr habt euch zuviel unter den Menschen umhergetrieben und seid kurierend umhergezogen.«
Da sagten die beiden: »Ihr opfert ja mit einem kopflosen Opfer.« – »Wieso mit einem kopflosen?« – »Ladet uns erst ein, dann wollen wir euch's sagen!« – »Es sei!« Und sie luden die beiden ein. Sie schöpften für die beiden diesen den Aschwin geweihten Trunk. Die beiden wurden die Adhwarju-Priester des Opfers. Sie setzten dem Opfer den Kopf an. Dies wird in dem Kapitel der »Tagesgesänge« erklärt, wie sie damals dem Opfer den Kopf ansetzten. Darum wird nach dem Gesang des Bahischpāwamāna dieser Trunk geschöpft. Denn die beiden waren nach dem Gesang des Bahischpāwamāna gekommen.

Sanskrit-Literatur

Der Tod des Königs Parīkschit

Es war einmal ein König, welcher Parīkschit hieß, ein Sproß des Hauses Kuru; der hatte gewaltige Arme, war im Kampfe der beste der Bogenschützen und ein leidenschaftlicher Jäger. Er pflegte umherzustreifen, um Antilopen zu schießen und Eber und Hyänen und Büffel und alle die anderen verschiedenen Tiere des Waldes. Mit glattem Pfeil hatte er einst eine Antilope verwundet und eilte ihr nach in den dichten Wald, den Bogen in der Hand. Wie der heilige Rudra, der Vater der Windgötter, im Himmel der verwundeten Opferantilope, so ging er ihr mit seinem Bogen nach und streifte nach allen Richtungen, sie aufzuspüren. Denn wenn er einmal ein Wild mit seinem Pfeile getroffen hatte, entkam es sonst nicht mehr lebendig in den Forst. Diesmal aber war's eine Vorbedeutung; denn er sollte in kurzem seinen Gang nach dem Himmel antreten.

Von der Gazelle weit fortgeführt, ermattet und durstig kam der König an eine Stelle, wo Kühe weideten. Dort saß ein Mönch, dessen Hauptnahrung in dem Schaume bestand, der aus den Mäulern der Kälber troff, wenn sie am Euter tranken, und der Gelübde, die er auf sich genommen, streng einzuhalten pflegte. Auf diesen eilte der Fürst hastig zu, und hungrig und ermüdet fragte er ihn, seinen Bogen schwingend: »Heda, Brahmane! Ich bin König Parīkschit, Abhimanjus Sohn; hast du vielleicht die Antilope gesehen, welche ich angeschossen habe?« Der Asket aber antwortete ihm mit keiner Silbe, weil er das Gelübde des Schweigens auf sich genommen hatte. Da ward der König zornig und schleuderte ihm mit dem Bogenende eine tote Schlange um den Hals, die am Boden lag. Der Mönch sah's ihm nach und sagte kein Wort zu ihm, weder ein gutes noch ein böses. Als der König sah, was er angerichtet hatte, tat es ihm leid. Sein Zorn verrauchte, und er kehrte in seine Stadt zurück, während der Asket ruhig sitzen blieb. Denn der erhabene Mönch war friedfertig, und obwohl ihn der gewaltige König beleidigt hatte, fiel es ihm nicht ein, ihn zu verfluchen, weil der Fürst gewissenhaft seine Herrscherpflichten erfüllte; und hätte dieser gewußt, daß der Mönch wie er selbst ganz in seinen Pflichten aufging, so würde er sich nicht an ihm vergriffen haben.

Der Mönch aber hatte einen kleinen Sohn, der schon ein großer Asket war. Er hieß Schringin, war furchtbar in seinem Zorn, schwer zu besänftigen und streng in seinen Gelübden. Völlig leidenschaftslos nahte er sich von Zeit zu Zeit huldigend Brahman, dem Gott, der über allem thront und seine Freude an dem hat, was allen Wesen frommt. Brahman hatte ihn entlassen, und als er auf dem Heimweg war, redete lachend sein Freund Krischa, welcher dort spielte, indem er auf Schringins Vater wies, Worte zu ihm, die seinen Zorn entflammten. Krischa sagte: »Verzehrende Glut lodert in dir; dein Vater aber trägt auf seiner Schulter ein Aas. Werde nur nicht stolz darüber, Schringin! Wenn sich die Söhne der Asketen unterhalten, dann schweig hübsch still! Wie passen deine Einbildung, du seist ein ganzer Mann, und deine ihr entsprechenden stolzgeborenen Reden zum Anblick, den dein Vater dir bietet, welcher ein Aas trägt? Was dein Vater da tut, scheint mir doch seiner nicht ganz würdig zu sein, hochedler Asket; du tust mir herzlich leid!«

Als der gluterfüllte und zum Zorne neigende Schringin diese Worte hörte, als er vernahm, daß sein Vater eine Leiche trug, kochte er vor Wut. Er sah Krischa an und fragte ihn höflich: »Wie kommt's, daß mein Vater das Aas trägt?« Krischa sagte: »König Parīkschit, mein Lieber, streifte heute auf der Jagd umher und warf deinem Vater eine tote Schlange auf die Schulter.« Schringin fragte weiter: »Was hat mein Vater diesem üblen König zuleide getan? Sag mir die Wahrheit, Krischa; dann werde ich dir zeigen, welch mächtige Glut in mir loht!« Krischa antwortete: »König Parīkschit, Abhimanjus Sohn, war auf die Jagd gegangen und verfolgte ganz allein eine schnellfüßige Antilope, die er mit seinem Pfeile angeschossen hatte. Soviel er aber auch in diesem großen Walde umherspürte, er vermochte das Wild nicht zu entdecken. Er sah deinen Vater und fragte ihn, erhielt aber keine Antwort. Da warf ihm der König mit dem Bogenende die Schlange auf die Schulter. Dein Vater, Schringin, denkt nur an sein Gelübde und sitzt genau so dort wie vorher. Der König aber ist in seine Hauptstadt Hastinapura zurückgekehrt.«

Als des Asketen Sohn vernommen hatte, wie die Schlange auf seines Vaters Schulter gekommen war, röteten sich seine Augen vor Zorn, seine Wut schlug zu hellen Flammen empor, und von Grimm überwältigt, fluchte er dem König:

»Den sündigen König, welcher meinem alten, sich kasteienden Vater die tote Schlange auf die Schulter geworfen hat, diesen Elenden soll nach Ablauf von sieben Nächten der zornwütende

Schlangenkönig Takschaka in Jamas, des Totenkönigs Haus entführen!«

Nachdem Schringin diesen Fluch im höchsten Zorn gesprochen hatte, begab er sich zu seinem Vater, der noch immer, das Schlangenaas auf der Schulter tragend, auf dem Weideplatz saß. Im Schmerze über den Anblick, der sich ihm bot, vergoß er Tränen und sagte zu seinem Vater: »Der Zorn über die Schmach, die dir, wie ich vernommen, der sündhafte König Parīkschit angetan hat, hat mich veranlaßt, ihn zu verfluchen, mit einem Fluch, wie ihn dieser Schandfleck des Hauses Kuru verdient. Heute in sieben Tagen bringt der Schlangenfürst Takschaka den Bösewicht in Jamas schreckliches Haus.«

Während er so im Banne seines Zornes stand, entgegnete ihm sein Vater: »Da hast du mir keinen Gefallen getan, lieber Sohn! Das ist nicht Asketenart! Wir leben in dieses Königs Reich, geschützt von ihm nach Billigkeit und Recht. Ich kann's nicht loben, daß wir's ihm mit Bösem vergelten. Aber möchte der König doch handeln, wie er wollte: uns Asketen gebietet unsere Pflicht zu verzeihen, mein Sohn! Wer seine Pflicht erschlägt, des sei gewiß, den erschlägt sie wieder. Wenn der König uns nicht schützen wollte, so wären wir sehr übel dran. Wir könnten nicht friedlich unsere Pflichten erfüllen. Nur der Schutz, den uns Fürsten angedeihen lassen, die mit dem Auge der Pflicht die Dinge sehen, ermöglicht uns, auch unsere schwere Pflicht zu erfüllen. Vom Lohne, der uns dafür wird, gebührt solchen Fürsten von Rechts wegen ein Anteil. Der arme Parikschit war hungrig und abgehetzt, und was er tat, beruhte – davon bin ich überzeugt – nur auf seiner Unkenntnis des Gelübdes, das ich auf mich genommen hatte. Wie konntest du in kindischer Übereilung eine solche Untat begehen! An uns hat der König wahrlich diesen Fluch nicht verdient!«

Schringin entgegnete: »Ob es nun eine Übereilung, oder ob es eine Untat war, ob es dir recht ist oder nicht: ein Wort, das ich gesprochen habe, kann nicht wirkungslos bleiben. Des Königs Schicksal läßt sich nicht mehr ändern. Vater, dafür stehe ich dir ein. Was ich sage, erfüllt sich selbst in gleichgültigen Dingen; um wieviel mehr, wenn ich fluche!«

Schamīka, sein Vater, sprach: »Ich weiß, daß deine Macht entsetzlich ist, mein Sohn, und daß deine Worte wahr sind. Noch hast du nie ein falsches Wort gesprochen, und auch dieses Wort wird sich kaum als wirkungslos erweisen. Ein Vater aber soll seinen Sohn fortwährend zurechtweisen, auch wenn dieser

schon erwachsen ist, damit er ein tüchtiger Mann werde und großen Ruhm erlange, um wieviel mehr dich, der du noch ein Knabe bist, wenn auch ein durch die Kasteiung beständig geläuterter. Im Herzen der Mächtigen und Großen steigert sich der Zorn ins Übermäßige. Wenn ich nun bedenke, daß du mein Sohn bist, Bester der Asketen, daß du noch ein Knabe bist und mit solcher Übereilung handelst, so sehe ich Grund genug zu deiner Zurechtweisung. Strebe also künftig nach Sanftmut, lebe von der Nahrung, die dir die Pflanzen des Waldes bieten, ertöte diesen Zornesmut und verstoße nicht mehr in dieser Weise gegen die Asketenpflicht. Denn der Zorn raubt den Asketen das religiöse Verdienst, das sie unter schweren Kasteiungen gesammelt haben; und wenn sie dieses Verdienstes ledig sind, ist ihnen der Pfad verlegt, den sie zu gehen wünschen. Nur die Sanftmut kann die Asketen, welche vergeben sollen, zur Vollendung führen. Den Sanftmütigen gehört diese Welt, und so gehört auch jene Welt den Sanftmütigen. Führe darum immer einen Lebenswandel, den die Versöhnlichkeit bestimmt, und zügle deine Sinne. Durch Versöhnlichkeit näherst du dich Brahmans Welten und gehst in sie ein. Ich aber will versöhnlich sein, und was ich tun kann, lieber Sohn, das will ich sofort tun. Ich will dem König sagen lassen: ›Mein Sohn, der noch ein unverständiges Kind ist, hat dich in seiner Entrüstung über die mir angetane Schmach verflucht.‹«
Was der barmherzige Asket gesagt hatte, das tat er. Er sandte mit der Botschaft einen Schüler zu König Parīkschit. Dieser Schüler begab sich schnell zu dem König, der eine Zierde des Hauses Kuru war, ließ sich von den Türhütern melden und trat in den Palast. Der König begrüßte Gauramukha – so hieß der Brahmane – in aller Ehrfurcht, und dieser teilte betrübt dem Fürsten alles mit, was er wußte, indem er sprach: »In deinem Reiche, Herr der Könige, lebt ein Asket Schamīka, der streng seiner Asketenpflicht waltet, sich beherrschend, sanftmütig und durchglüht von seiner Kasteiung. Dem hast du, weil er schwieg, mit des Bogens Spitze eine tote Schlange auf die Schulter geworfen. Er selbst hat dir diese Tat verziehen, nicht aber sein Sohn. Ohne Wissen seines Vaters hat er dir heute geflucht. Nach Ablauf von sieben Nächten wird Takschaka dich töten. Schamīka läßt dir dringend raten, dich zu schützen. Denn niemand vermag den Fluch zu ändern.«
Als der König aus Kurus Stamm diese entsetzliche Botschaft erhalten hatte, bereute er tief, jenes Unrecht begangen zu haben;

und als er erfuhr, daß der treffliche Asket im Walde nur deshalb geschwiegen, weil er das Gelübde des Schweigens abgelegt hatte, ward sein Herz von um so größerem Kummer erfüllt. Sein Kummer über sein Unrecht wuchs noch mehr, wenn er bedachte, wie barmherzig Schamīka an ihm handelte. Denn darüber grämte der König sich nicht so sehr, daß ihm sein naher Tod verkündet worden war, wie ihn, den Göttergleichen, die Tat betrübte, die er begangen hatte. Er entließ also Gauramukha mit dem Auftrage, den Heiligen zu bitten, ihm auch ferner seine gnädige Gesinnung zu bewahren.

Kaum aber hatte sich Gauramukha entfernt, so begann er furchterregten Herzens mit seinen Ministern zu beraten. Und als die zwischen ihm, dem Rateskundigen, und den Ministern gepflogene Beratung beendigt war, ließ er einen Palast errichten, der nur auf einer Säule ruhte und den er streng bewachen ließ. Er sorgte darin für eine Wache, für Ärzte und Heilkräuter und für zauberspruchkundige Brahmanen und verteilte sie auf alle Stellen des Palastes. Er selbst stieg hinauf und erledigte in ihm alle seine Regierungsgeschäfte mit seinen Ministern zusammen, pflichttreu, von Wächtern rings umgeben. Niemand konnte zu ihm gelangen, als er sich da oben befand, und selbst dem Winde, der einherwehte, ward der Zugang verwehrt.

Als aber jener siebente Tag genaht war, machte sich ein ausgezeichneter, wissensreicher Brahmane namens Kāschjapa auf den Weg zum König mit der Absicht, ihn zu heilen. Denn er hatte vernommen, daß Takschaka, die mächtigste der Schlangen, ihn in Jamas Palast führen sollte, und dachte: »Wenn ihn der Schlangenfürst gebissen hat, werde ich seine Krankheit beheben und mir auf diese Weise nicht nur weltliche, sondern auch geistliche Schätze erwerben.« Während er nun andächtigen Sinnes seines Weges dahinschritt, erblickte ihn Takschaka, nahm die Gestalt eines steinalten Brahmanen an und sagte zu ihm: »Wohin geht denn der Herr in solcher Eile, und was hat er denn vor?« Kāschjapa antwortete ihm: »Den König aus dem Hause Kuru, Parīkschit, den Schrecken seiner Feinde, wird heute der mächtigste der Schlangenfürsten, Takschaka, mit der Glut seines Giftes verbrennen. Takschakas Glut gleicht der des Feuers; und trotzdem will ich den König, wenn jener ihn gebissen hat, sogleich von den Folgen des Bisses befreien. Das ist der Grund meiner Eile, lieber Herr!« Da sagte der Alte: »Ich selbst bin dieser Takschaka, Brahmane, und ich werde den Herrscher verbrennen. Kehre um! Einen Mann, den ich gebissen habe, vermagst du nicht zu heilen.« Kāschjapa entgegnete: »Ich gehe zum König, und wenn du ihn gebissen hast, so mache ich ihn gesund. Das ist mein fester Vorsatz, und eine mächtige Wissenschaft steht mir zur Seite.«

Takschaka sprach: »Wenn du irgend etwas auf Erden zu heilen vermagst, was ich gebissen habe, so rufe diesen von mir gebissenen Baum ins Leben zurück. Zeige die beste Zaubermacht, die du besitzest, und gib dir Mühe; vor deinen Augen werde ich diesen Feigenbaum verbrennen, bester Brahmane!« Kāschjapa sagte: »Nur immer frisch hineingebissen in den Baum, wenn es dir Spaß macht, Schlangenfürst! Und wenn du ihn gebissen hast, so werde ich ihn frisch beleben.«

Als der große Kāschjapa das zum Schlangenkönig gesagt hatte, trat dieser an den Feigenbaum heran und biß ihn. Kaum hatte der Biß gesessen, so zeigte sich die Wirkung des Schlangengiftes: der Baum ging auf allen Seiten in Flammen auf. Nachdem der Schlangenfürst ihn verbrannt hatte, wandte er sich wieder zu Kāschjapa und sprach: »Nun gib dir Mühe, bester Brahmane, und erwecke den Waldesriesen zu neuem Leben!« Da sammelte Kāschjapa den durch die Glut des Schlangenfürsten verbrannten Baum, die ganze Asche, und sprach: »Jetzt sollst du die Macht meiner Wissenschaft an diesem Waldesriesen zu sehen bekommen. Vor deinen Augen, Schlange, will ich ihn beleben.« Und der heilige, gelehrte Kāschjapa, der beste der Brahmanen, belebte den eingeäscherten Baum kraft seiner Wissenschaft. Erst brachte er einen Keim hervor, an dem sich zwei Keimblätter öffneten; dann setzte das Bäumchen Blätter an, dann Ästchen, dann Zweige. Takschaka sah, daß der große Kāschjapa den Baum zu neuem Leben erweckt hatte. Da sagte er: »Es sollte mich von dir nicht allzusehr wundern, du Fürst der Brahmanen, wenn du mein Gift oder das von meinesgleichen vernichten würdest. Aber was willst du denn durch deinen Gang zum König verdienen, frommer Mann? Den Gewinn, den du von jenem edlen Fürsten erwartest, den will ich selbst dir geben, und wäre er auch noch so schwer zu beschaffen. Auf dem Herrscher lastet eines Brahmanen Fluch; seine Lebenszeit ist abgelaufen; da ist es doch wohl zweifelhaft, ob deiner Bemühung ein Erfolg beschieden ist. Ist dies aber nicht der Fall, so verschwindet dein leuchtender Ruhm, welcher jetzt die drei Welten erfüllt, wie die Sonne, wenn sie ihre Strahlen verlöre.«

Kāschjapa sagte: »Um Reichtum zu erwerben, gehe ich dorthin; den spende mir, Schlangenfürst! Ich will umkehren, wenn du mir Schätze spendest.« Takschaka sprach: »Viel reichere Schätze will ich dir bescheren, als die sind, die du von jenem König erbitten kannst. Drum, bester Brahmane, kehre um!«

Als der beste Brahmane die Worte Takschakas gehört hatte, sann der Glutenreiche und Kluge über des Königs Schicksal nach. Und da er göttliches Wissen besaß, erkannte er, daß des Fürsten Lebenszeit abgelaufen war. Der treffliche Mönch ließ sich also von Takschaka so viel Schätze spenden, als sein Herz begehrte, und kehrte heim.

Nachdem der große Kāschjapa der getroffenen Abmachung gemäß umgekehrt war, eilte Takschaka in die Stadt Hastinapura. Auf seinem Wege hörte er, daß der Herrscher sorgfältig geschützt wurde durch Zaubersprüche und giftvernichtende Formeln. Da dachte er: »Es bleibt mir nichts anderes übrig, als den König durch irgendeinen Trug zu überlisten. Wie könnte ich das anfangen?« Darauf sandte er Schlangen zum König, welche die Gestalten von Brahmanen angenommen hatten und Früchte, Darbhagras und Wasser in ihren Händen trugen, und sprach: »Geht nur ganz unbekümmert zu dem Fürsten, als hättet ihr ein Anliegen an ihn, und reicht ihm Früchte, Blumen und Wasser unter dem Vorwand der Ehrengabe.«

Die Schlangen handelten der Weisung entsprechend, welche sie von Takschaka erhalten hatten. Sie überreichten dem König die Darbhagräser, das Wasser und die Früchte. Der edle Herrscher nahm diese Geschenke alle entgegen, und als er die Geschäfte erledigt hatte, um derentwillen sie ihm angeblich genaht waren, entließ er sie. Nachdem sich die in Asketen verwandelten Schlangen entfernt hatten, sagte der Herrscher zu seinen Ministern und seinen Freunden: »Wohlan! Wir wollen miteinander diese süßen Früchte verzehren, welche mir die Mönche gebracht haben, und daß mir keine übrigbleibt!« Das Schicksal und jenes Asketen Fluch zwangen ihm den Wunsch auf, mit seinen Räten zusammen das Obst zu essen. Er selbst aber biß in eine Frucht, in welcher sich Takschaka verborgen hatte; und während er sie verzehrte, kam aus ihr eine kleine Made zum Vorschein, winzig, kupferfarben und mit schwarzen Äuglein. Parīkschit nahm sie in die Hand und sagte zu seinen Ministern: »Die Sonne ist im Untergehen; jetzt brauch' ich mich nun nicht mehr vor dem Gifte zu ängstigen. Doch soll des Mönches Wort in Erfüllung gehen; dieses Würmchen soll mich beißen. Ich gebe ihm den Namen Takschaka; dann ist das Unheil

abgewandt.« Vom Verhängnis getrieben, stimmten ihm seine Räte zu. Darauf setzte der König das Würmchen an seinen Hals und lachte; denn da ihm der Tod bevorstand, hatte ihn die Überlegung verlassen. Aber während er noch lachte, hatte Takschaka ihn mit einer Windung umschnürt; denn er war das Würmchen, das aus der dem König gereichten Frucht gekommen war. Nachdem er Parīkschit mit Gewalt umschnürt und ein lautschallendes Zischen hatte ertönen lassen, biß den Schirmherrn der Erde Takschaka, der Fürst der Schlangen.
Beim Anblick des von der Schlange Umschnürten malte sich die Bestürzung auf den Gesichtern aller Räte, und sie brachen in Tränen aus, vom Schmerz überwältigt. Als sie aber das Zischen vernahmen, liefen sie davon. Dann sahen sie die wunderbare Schlange durch den Äther enteilen. Es war, als ob sie die Grenzscheide des Himmels zöge, erstrahlend im dunklen Glanze des blauen Lotus. Entsetzt verließen sie das Gebäude, welches durch des Giftes Wirkung auf allen Seiten in hellen Flammen loderte, und stoben nach allen Windrichtungen auseinander. Der König aber brach wie vom Blitze getroffen zusammen.

Die Froschprinzessin

In Ajōdhjā zog einst ein Sprößling aus dem Hause Ikschwāku, der König Parikschit, auf die Jagd. Als er auf seinem Rosse allein hinter einer Antilope drein ritt, zog diese ihn weit von seinem Gefolge ab. Der Ritt ermüdete ihn, Hunger und Durst quälten ihn, als er an einer Stelle einen dichten, dunklen Hain gewahrte. Er sprengte hinein, fand in seiner Mitte einen wunderschönen See und ritt sein Pferd in dessen Flut. Das erquickte ihn. Er warf seinem Rosse Lotuswurzeln und Lotusstengel vor und lagerte sich am Gestade.

Während er ruhte, vernahm er plötzlich einen süßen Gesang. Da dachte er: »Keines Menschen Fußspur ist hier zu sehen. Wem mag des Liedes Stimme gehören?« Und schon gewahrte er eine Jungfrau von holdseligster Gestalt, welche Blumen pflückte und dabei sang. Während sie umherging, näherte sie sich dem König. Da redete er sie an und sprach: »Wessen Tochter bist du, liebes Kind, oder wer bist du?« Sie antwortete: »Ich bin eine Jungfrau.« Er sagte zu ihr: »Mein Herz trägt Verlangen nach dir.« Das Mädchen erwiderte: »Du kannst mich haben, aber nur unter einer Bedingung.« Der König fragte sie nach ihrer Bedingung, und sie sprach: »Du darfst mir niemals Wasser zeigen.« Das versprach ihr der König und vermählte sich mit ihr, und nachdem er den Bund mit ihr geschlossen, koste er mit ihr in höchster Seligkeit, vereinigte sich mit ihr und blieb an ihrer Seite.

Während der König dort saß, suchte sein Jagdgefolge nach ihm. Schritt für Schritt seinen Spuren folgend, umringten ihn seine Leute und machten halt. Da sich der König erholt hatte, bestieg er mit seiner neuen Gemahlin eine nach allen Seiten geschlossene Sänfte und gab den Befehl zum Aufbruch. Nachdem er aber in seine Stadt gelangt war, lebte er nur noch mit ihr in traulicher Einsamkeit. Niemand selbst von denen, die ihn bedienten, bekam ihn mehr zu sehen.

Da fragte sein Kanzler die ihm dienenden Frauen: »Was geht denn dort vor?« Die Frauen sagten zu ihm: »Was wohl noch keiner gesehen hat, das sehen wir dort. Es darf kein Wasser dahin gebracht werden.« Darauf ließ der Kanzler einen Lusthain herstellen, in welchem kein Wasser, wohl aber edle Bäume und viele Blumen, Früchte und Wurzeln vorhanden waren, und in seiner Mitte ließ er einen Teich aus Perlenketten und daneben ganz verdeckt einen mit Zement ausgestrichenen zweiten Teich anlegen. Dann begab er sich heimlich zum König und sagte zu ihm: »Dieser herrliche Hain ist wasserfrei; wohlan, belustige dich in ihm!« Der König folgte seiner Einladung und begab sich mit der Königin in den Hain.

Eines Tages lustwandelte er wieder mit ihr in dem schönen Hain. Er ward hungrig, durstig und müde, entdeckte eine Atimuktakalaube, trat mit seiner Gemahlin ein und sah den zementierten Teich, welcher mit reinem Wasser gefüllt war. Kaum hatte ihn der König erblickt, so blieb er mit ihr zusammen an seinem Rande stehen. Darauf sagte er zur Königin: »Wohlan! Steig in das Wasser des Teiches!« Als sie diese Worte hörte, stieg sie in den Teich und tauchte unter, aber nicht wieder auf. Der König suchte nach ihr, vermochte sie aber nicht zu finden. Er gebot, den Teich abzulassen, und da er einen Frosch aus einer Ritze hervorlugen sah, ward er zornig und befahl: »Schlagt alle Frösche tot, wo ihr sie findet! Wer ein Anliegen an mich hat, der soll sich mir nur nahen, wenn er mir einen toten Frosch zum Geschenk darzureichen vermag!«

Nun begann ein entsetzliches Froschmorden. Allerorten packte die Frösche die Angst. In ihrer Furcht begaben sie sich zum Froschkönig und teilten ihm mit, was und wie alles gekommen war. Da nahm der Froschkönig die Gestalt eines Asketen an, begab sich zu König Parīkschit, trat vor ihn und sprach: »Unterwirf dich nicht dem Zorne, König! Sei gnädig, und geruhe, die Frösche nicht zu morden, die dir nichts zuleide getan haben.« Hier gibt es auch zwei Strophen:

»Begehre nicht die Frösche zu töten; bezwinge standhaft deinen Zorn! Wer ohne Überlegung handelt, dem schwindet sein Gut dahin, und wenn er's auch im Überfluß besäße!
Erkenne: Wenn du sie alle bekommst, so wirst du deinen Zorn doch nicht fahrenlassen. Es sei nun genug der begangenen Sünde! Was hast du davon, wenn du die Frösche tötest?«

Als er dies sagte, entgegnete ihm der König, dessen Seele vom Gram um die verlorene geliebte Gemahlin erfüllt war: »Das kann ich nun und nimmer verzeihen; ich werde die Frösche vernichten. Diese Halunken haben meine Gattin gefressen, und es ist unbedingt meine Pflicht, sie umzubringen. Rede mir, bitte, nicht dagegen, weiser Mann!« Diese Worte erschütterten Herz und Sinne des Asketen, so daß er rief: »Sei gnädig, König! Ich bin Āju, der König der Frösche, und jene ist meine Tochter und heißt Suschōbhana. An dem allen ist nur ihre Bosheit schuld. Sie hat schon viele Könige betrogen.« Der König sprach: »Ich muß sie haben! Liefere sie mir aus!« Da gab der Vater sie dem König und sprach zu ihr: »Diene diesem König willig und gehorsam.«

Als der König sie aber wiederhatte, so war es ihm, als hätte er die Herrschaft über alle drei Welten gewonnen; denn sein Herz war an sie gefesselt infolge der Wonnen, die sie ihm beim Liebesgenuß bot. Er fiel vor dem Froschkönig nieder, huldigte ihm und sagte zu ihm mit einer Stimme, welche die Freudentränen zu ersticken drohten: »Du hast mir eine große Gnade erwiesen!« Der Froschkönig aber bat seine Tochter, ihn zu entlassen, und entfernte sich, wie er gekommen.

Bhangāswana

Judhischthira fragte: Wenn Mann und Weib sich vereinigen, welches von beiden hat dabei wohl das stärkere Gefühl? Geruhe, o König, diesen meinen Zweifel zu lösen und mir zu sagen, wie sich's damit verhält.

Bhischma antwortete: Auch in bezug darauf erzählt man eine Geschichte aus alter Zeit, wie sich dereinst Bhangāswana Indras Feindschaft zugezogen hat.

Vorzeiten nämlich lebte ein königlicher Weiser namens Bhangāswana, der peinlich den Pflichten nachlebte, welche Gesetz und Religion ihm auferlegten. Da er keine Söhne besaß, so brachte er ein Opfer dar, um durch dasselbe Söhne zu gewinnen. Der mächtige Königsweise brachte den Agnischtut dar, das Opfer, welches den Feuergott Agni verherrlicht und Indra verhaßt ist. Die Menschen bringen es dar als Sühnopfer, oder wenn sie männliche Nachkommenschaft begehren.

Als der selige Götterkönig Indra von diesem Opfer erfuhr, suchte er an dem Königsweisen, sosehr dieser sich zu beherrschen verstand, eine Blöße zu entdecken; zunächst aber gelang es ihm nicht, an dem Hehren irgend etwas zu finden, was ihm Gewalt über ihn verliehen hätte. Einige Zeit darauf jedoch zog der König auf die Jagd. Indra dachte: »Jetzt hat er sich eine Blöße gegeben!«, denn auf die Jagd zu ziehen gilt für einen König als Laster. Und nun vermochte er ihn zu verblenden, so daß der König, welcher ganz allein war, von seinem Roß in die Irre geführt ward. Hunger und Durst quälten ihn; er vermochte sich nicht zurechtzufinden. Je mehr er bald in dieser, bald in jener Richtung dahinjagte, desto durstiger und abgehetzter wurde er. Plötzlich gewahrte er einen weithin leuchtenden See, voll des herrlichsten Wassers, ritt hinein und tränkte in ihm sein Roß. Nachdem sein Pferd sich an dem Wasser satt getrunken hatte, band es der treffliche Fürst an einen Baum und tauchte selbst in den See: da ward er zum Weibe.

Als er sah, daß er sich in ein Weib verwandelt hatte, schämte er sich. Heftiger Gram erfüllte seine ganze Seele; seine Sinne und sein Denken waren in mächtiger Erregung: »Wie kann ich jetzt mein Roß besteigen? Wie soll ich in meine Stadt gelangen? Und obendrein: hundert starke leibliche Söhne sind mir geboren worden durch das Opfer Agnischtut, welches ich dargebracht habe: was soll ich zu diesen sagen? Was soll ich sagen, wenn ich unter meine Frauen komme, unter die Bewohner meiner Hauptstadt, meines Landes? Die brahmanischen Weisen, denen nichts vom innersten Wesen des Gesetzes verborgen ist, haben Zartheit, schlanken Wuchs und Schüchternheit als Zierden des Weibes, als des Mannes dagegen Ausdauer, Härte und Mut gepriesen. Wer hat mir meine Männlichkeit vernichtet und mich zum Weibe gemacht? Wie kann ich jetzt, da ich ein Weib bin, dies mein Roß besteigen?« Mit großer Anstrengung gelang es dem verwandelten Fürsten trotzdem, sich aufs Pferd zu setzen; dann ritt er in seine Stadt.

Seine Söhne, seine Frauen und Diener, die Bewohner der Stadt und des Landes wußten in ihrer Verwunderung nicht, was sie denken sollten. Da sprach der königliche Weise, dem die Rede zu Gebote stand wie keinem zweiten: »Ich zog auf die Jagd, von meinen Truppen sicher umgeben; das Schicksal trieb mich trotzdem in die Irre. Ich gelangte in einen fürchterlichen Wald. In dieser Wildnis, die von Gefahren strotzte, befiel mich quälender Durst. Ich verlor schier den Verstand. Da sah ich einen in hellem Glanze weithin leuchtenden See, der von zahlreichem Wassergeflügel bevölkert war. In diesen stieg ich hinab, und das Schicksal wollte es, daß ich dadurch zum Weibe wurde.« Dann wies er sich dadurch aus, daß er die Namen und die Familien seiner Frauen und seiner Minister nannte, und sagte zu seinen Söhnen: »Genießt zusammen die Herrschaft, meine Söhnchen, in Eintracht und Liebe; ich aber gehe in den Wald.«

So sagte er zu seinen hundert Söhnen, begab sich in seiner Frauengestalt in den Wald und suchte die Einsiedelei eines Asketen auf, dem er sich anschloß.

In der Einsiedelei aber empfing die Frau von dem Asketen hundert Söhne; mit diesen allen ging sie zu ihren älteren Söhnen und sagte zu ihnen: »Ihr seid die Söhne, die mir geboren wurden, als ich noch ein Mann war, und diese hundert Söhne wurden mir geboren in meinem Frauendasein. Da ihr also Brüder seid, liebe Söhne, so teilt euch brüderlich in den Genuß der Herrschaft.«

Von nun an genossen alle diese Brüder die Herrschaft gemeinsam. Als aber der Götterkönig Indra sah, wie sie zusammen das schöne Reich genossen, da drohte ihn die Wut zu ersticken. Er dachte: »Einen Dienst habe ich dem Königsweisen erwiesen, anstatt ihm zu schaden!«

Darauf nahm der Götterkönig die Gestalt eines Brahmanen an,

begab sich in die Hauptstadt und säte Zwietracht unter die Königssöhne: »Brüderlichkeit unter Brüdern? Gibt's ja gar nicht! Götter und Titanen gerieten gar bald in Fehde um die Herrschaft, und waren doch alle Söhne eines und desselben Vaters Kaschjapa. Ihr seid Bhangāswanas Sprossen, die anderen aber sind die Söhne eines Mönchs, während Götter und Titanen doch alle Söhne Kaschjapas waren. Und euer väterliches Reich genießen die Söhne des Mönchs!« Als Indra sie so entzweit hatte, vernichteten sie sich gegenseitig im Kampfe. Die Asketin erfuhr das und weinte bitterlich. Da trat Indra in Brahmanengestalt vor sie und fragte sie: »Welcher Kummer bedrückt dich, schöne Frau, daß du so weinst?« Sie sah den Brahmanen an und erwiderte in rührender Klage: »Zweihundert Söhne, Brahmane, hat das Schicksal mir vernichtet. Ich bin einst ein König gewesen, Brahmane, und hundert Söhne wurden mir geboren, schöne Söhne, edler Brahmane! Da ritt ich einst auf die Jagd, verirrte mich im dichten Walde, badete in einem See und ward zum Weibe. Ich setzte meine Söhne zu Königen ein über mein Reich und suchte meine Zuflucht im Walde. Hier gebar ich als Weib einem edlen Asketen in seiner Einsiedelei gleichfalls hundert Söhne und führte sie nach meiner früheren Residenz. Das Schicksal verfeindete und vernichtete sie, und darum klage ich, Brahmane; denn das Schicksal drückt mich völlig nieder.«

Indra indessen rührte ihr Kummer nicht; mit harten Worten erwiderte er: »Einst hast du, meine Gute, mir ein unerträgliches Leid zugefügt; du brachtest ein dem Indra verhaßtes Opfer dar und ließest es feiern, ohne mich dazu zu laden. Ich bin Indra, du Närrin; ich habe dir deine Feindseligkeit heimgezahlt!«

Als der königliche Weise sah, daß er es mit Indra zu tun hatte, legte er ihm sein Haupt zu Füßen und sprach: »Sei mir gnädig, Bester der dreißig Götter! Nur um Söhne zu erlangen, habe ich dies Opfer dargebracht. Gewähre mir gütig dafür eine Verzeihung!«

Des Königs Fußfall versöhnte Indra, so daß er ihm eine Gnadengabe freistellte: »Sprich, König, welche der beiden Gruppen deiner Söhne soll ins Leben zurückkehren, die in deinem Frauendasein Geborenen oder die, die dir als Mann geschenkt wurden?«

Da legte die Asketin die Hände zusammen und sprach: »Rufe mir diejenigen Söhne ins Leben zurück, die mir in meinem Frauendasein beschieden waren!« Indra fragte verwundert das

Weib: »Weshalb hassest du die Söhne, die du als Mann erzeugtest? Wie kannst du diejenigen mehr lieben, die dir in deinem Frauendasein geboren wurden? Ich möchte den Grund davon erfahren; sei so gut und teile mir ihn mit!« Die Asketin erwiderte: »Größer als des Mannes Liebe ist die des Weibes; darum, Indra, belebe mir die, die ich als Weib geboren!«
Als Indra das gehört hatte, sagte er freundlich diese Worte: »Du hast die Wahrheit gesprochen; zum Lohne sollen alle deine Söhne wieder aufleben, und du darfst dir nach Wahl noch eine Gunst von mir erbitten, gelübdetreuer Fürst der Könige: Willst du hinfort als Mann leben oder als Weib?« Das Weib erwiderte: »Die Frauennatur begehre ich, Indra; nach Männerdasein trage ich kein Verlangen.« Auf diese Worte entgegnete der Götterkönig dem Weibe: »Weshalb, o Fürst, verschmähst du, ein Mann zu sein und begehrst, ein Weib zu bleiben?« Der treffliche weiblich gewordene König erwiderte: »Bei der Vereinigung mit dem Manne empfindet stets das Weib den größeren Genuß. Aus diesem Grunde, Indra, wähle ich mir nur die Frauennatur. Als Weib genieße ich stärker, verlaß dich drauf, Bester der Götter! Mein Frauendasein befriedigt mich vollkommen; du kannst gehen, Beherrscher der Dreißig!«
Indra sagte: »So sei es!«, nahm Abschied und kehrte in den Dreihimmel zurück. Und so kommt es, Großkönig, daß man sagt: »Das Weib hat größeren Genuß.«

Bösgesinnt und Gutgesinnt

In einer Stadt lebten zwei miteinander befreundete Kaufmannssöhne, von denen der eine böse, der andere gut gesinnt war. Um Geld zu verdienen, zogen die beiden miteinander in die Fremde, in ein Land, in welchem die Verhältnisse besser waren als in ihrer Heimat. Der eine Karawanenbesitzerssohn, welcher Gutgesinnt hieß, fand einen Schatz, den sein gutes Schicksal ihm in die Hände spielte, einen Topf mit tausend Silberdinaren, den irgendein Kaufmann vorzeiten vergraben hatte. Sogleich beriet er mit Bösgesinnt und sagte zu ihm: »Wir haben ja nun unsern Zweck erreicht, laß uns in unsere Vaterstadt zurückkehren!« Also machten sie sich auf den Heimweg. Als sie in die Nähe ihrer Stadt kamen, sagte Gutgesinnt: »Laß uns die Dinare zu gleichen Hälften teilen und dann in unsere Wohnungen gehen! Jetzt wollen wir vor den Augen unserer Freunde, Angehörigen und sonstigen Bekannten ein glänzendes Leben führen!« Bösgesinnt aber trug ein hartes Herz in seinem Busen und war einzig und allein auf seinen Vorteil bedacht. Deshalb sagte er zu ihm: »Lieber Freund! Solange wir im gemeinsamen Besitze des Restes unseres Gutes sind, wird uns auch die herzliche Liebe, welche uns jetzt verbindet, weiter aneinander fesseln. Besser also, jeder von uns nimmt sich vor der Heimkehr ein Hundert. Dann können wir auch, je nachdem sich dieses Hundert vermehrt oder vermindert, daran die Wirkung prüfen, die der Schatz unserer guten Werke ausübt, und haben einen gemeinsamen Besitz, um welchen uns alle Welt beneiden kann!«

Gutgesinnt folgte diesem Rate. Beide vergruben sorgfältig den Rest ihres Vermögens und kehrten dann zu den Ihrigen zurück. Weil aber Bösgesinnt ein Lasterleben führte und unsinnige Ausgaben machte, und weil sein Glück ein Loch hatte, so währte es kein Jahr, da hatte er seinen Anteil aufgebraucht. Er nahm sich also aus dem Schatze, mit Gutgesinnt teilend, ein zweites Hundert, brachte es aber ebenso wie das erste vor Ablauf der Jahresfrist durch.

Bei so bewandten Umständen dachte Bösgesinnt: »Was nützt mir's, wenn wir wiederum teilen und uns jeder ein Hundert nehmen? Jetzt sind noch 600 Dinare übrig. Ich will sie holen und mich so in den Besitz der gesamten Summe setzen.« Gedacht, getan! Er ging allein hinaus, entwendete die Geldsumme und ebnete den Ort, an dem sie vergraben war, sorgfältig wieder ein. Darauf ließ er mehr denn einen Monat verstreichen, ging dann zu Gutgesinnt und sagte zu ihm: »Lieber Freund! Wir wollen jetzt den Rest unseres Vermögens zu gleichen Teilen miteinander teilen!« Gutgesinnt war damit einverstanden; und so ging er denn mit ihm nach der bekannten Stelle und begann, an ihr zu graben. Als aber trotz allen Grabens kein Geld zum Vorschein kam, da war in seiner Frechheit Bösgesinnt der erste, der sich darüber aufregte. Er schlug sich mit einem Stein an den Kopf und rief: »Wo ist das Geld, Gutgesinnt? Du hast es gewiß gestohlen!« Nun beschuldigte einer den andern, und miteinander streitend gingen sie nach dem Gericht und erstatteten Anzeige. Die Richter nahmen Kenntnis davon; da sie aber den Fall nicht sogleich zu entscheiden vermochten, weil er nicht klar lag, so behielten sie beide Kläger in Haft.

Noch waren keine fünf Nächte verstrichen, so gab Bösgesinnt vor den Richtern die feierliche Erklärung ab: »Ich habe Zeugen, welche über die Dinare aussagen werden, die den Gegenstand unseres Rechtsstreites bilden.« Den Richtern lag daran, den Prozeß zum Abschluß zu bringen. Deshalb fragten sie ihn: »Wer ist dein Zeuge? Führe ihn vor!« Er antwortete: »Ich will die Gerechtigkeit meiner Sache durch denselben Baum erweisen, unter dem das Gut vergraben war.« Da staunten die Richter und dachten: »Wird der Baum wohl reden?« Sie ließen sich aber von beiden Klägern Bürgen stellen und entließen sie daraufhin in ihre Wohnungen.

Kaum war Bösgesinnt zu Hause, so sagte er zu seinem Vater: »Väterchen, das Geld ist in meiner Hand; es hängt nur noch von einem Worte ab, ob ich darüber verfügen kann. Heute nacht will ich dich in den hohlen Stamm jenes Baumes stecken. Wenn du dann am Morgen in Gegenwart der Richter gefragt wirst, so überführe den Gutgesinnt durch dein Zeugnis.« Da sagte der Vater: »Wir sind beide verloren, mein Sohn. Denn das ist kein Weg, der zum Ziele führt. Heißt's doch:

Einen Weg, der zum Ziele führt, soll der Weise ersinnen, zugleich aber auch einen Ausweg aus der Gefahr. Vor den Augen des dummen Reihers wurden seine Söhne von den Ichneumonen gefressen.«

Bösgesinnt fragte: »Wie war das?« Sein Vater erzählte:

Reiher und Krebs

Auf einem Ardschunabaume nistete ein Reiherpaar. Eine gewaltige Schlange aber kroch in des Baumes hohlem Stamm empor und fraß die Jungen des Paares, bevor sie noch flügge waren. Die Eltern waren darüber so verzweifelt, daß sie schier den Verstand verloren; sie dachten nicht mehr daran, sich ihre Nahrung zu suchen, sondern standen unbeweglich und trostlos an einer Stelle eines Gewässers. Da kam ein Krebs und sagte zu dem Reiher: »Was hast du denn, Oheim? Es ist schon so spät, und noch immer hast du nicht gespeist?« Der Reiher: »Wie könnte ich Lust zum Essen verspüren in meinem tiefen Kummer!« Da sagte der Krebs: »Was hat dir denn solchen Kummer bereitet?« Darauf erzählte ihm der Reiher getreulich, wie seine Kinder gefressen worden waren. Der Krebs sagte tröstend zu ihm: »Ich will dir einen Weg weisen, der zur Vernichtung der Schlange führt. Siehst du da die Wohnung des Ichneumons? Du brauchst nur Fischfleisch zu holen und es von da in einer ununterbrochenen Reihe bis zu der Wohnung der Schlange auszustreuen. Dann werden die Ichneumone sie schon töten.« Der Reiher befolgte diesen Rat. Die Ichneumone gingen den Weg entlang, den die Fleischstücke bildeten, und da sie sich feindlicher Handlungen erinnerten, die die Schlange vorher ihnen gegenüber begangen hatte, so rissen sie sie in Stücke. Den Weg aber, den sie auf diese Weise kennengelernt hatten, begingen sie auch später, gelangten auf ihm in die Wohnung des Reihers und verzehrten die Jungen, die ihm noch verblieben waren.

Darum sage ich: »Einen Weg, der zum Ziele führt, soll der Weise ersinnen, zugleich aber auch einen Ausweg aus der Gefahr.« Obwohl er dies sagte, führte Bösgesinnt ihn fort und steckte ihn in den hohlen Baum. Am nächsten Morgen wurde in Gegenwart des Gerichtshofes dem Baume die betreffende Stelle der Gesetzbücher zu Gehör gebracht, und wie ausgemacht antwortete er: »Gutgesinnt hat das Geld gestohlen.«

Als Gutgesinnt das hörte, dachte er: »Wie wird ein Baum, der doch mit keiner Stimme begabt ist, trotzdem reden? Das muß seinen besonderen Grund haben. Jedenfalls läßt sich die Sache durch Klugheit meistern.« Darauf sagte er zu den Mitgliedern des Gerichtshofes: »Wunderbar! Erst heute, bevor die Leute noch ausgegangen waren, ging ich, Gutgesinnt, ganz allein in diesen menschenleeren Wald, um mir das Geld zu holen. Da sah ich eine riesengroße Schlange auf mich zukommen. Ich dachte: ›Das ist ein unangenehmer Zwischenfall‹, und sagte mir: ›Weltliches Gut bekomme ich schon wieder, nicht aber mein Leben. Ich will ein andermal wiederkommen.‹ So verbarg ich denn das Gut hier in der Wurzel dieses Baumes. Jetzt hilft's nun nichts; des Königs Autorität zwingt mich, es herauszugeben. Tretet indessen ein wenig von diesem Ort zurück, bis ich den Hüter des Schatzes — eben jene schwarze Schlange — vertrieben habe!«

So sprach er. Dann füllte er die Höhlung des Baumes mit ganzen Haufen Holz und Laub und begann, ihn in Brand zu setzen. Inzwischen stand Bösgesinnt gesenkten Hauptes da, schielte mit einem Auge hin, bemerkte den Kaufmann, der in der Höhle steckte, und eine heftige Erregung befiel ihn. Als aber das Feuer angezündet war, flammte die Baumhöhle an allen ihren Wänden auf. Dem Kaufmann barst davon der Körper, seine Haare brannten, seine Haut löste sich stückweise von seinem Leibe, und schließlich stürzte er auf die Erde herab.

Als die Anwesenden dieses höchst aufregende Schauspiel sahen, waren sie erstaunt und fragten sich, was das zu bedeuten habe. Sie erkannten den Kaufmann, in welchem noch etwas Leben steckte, und fragten ihn: »Worauf habt Ihr Euch denn da eingelassen?« Er antwortete: »Mein verbrecherischer Sohn hat mich in diese Lage gebracht.« Diese Antwort vermochte er gerade noch zu geben; dann starb er. Sofort aber sagten die Richter, welche nunmehr den Sachverhalt durchschauten: »Setzt diesen Verbrecher Bösgesinnt auf den Pfahl!«

Der bestrafte Zwiebeldieb

In einer Stadt ward ein Mann ergriffen, der Zwiebeln gestohlen hatte. Man führte ihn gefesselt ins Königsschloß. Die Richter sagten zu ihm: »Guter Mann! Entweder zahlst du 100 Rupien Strafe, oder du hältst 100 Peitschenhiebe aus, oder du verzehrst 100 Zwiebeln. Anders kommst du nicht los!« Der Dieb war einfältig und sagte darum: »Ich will die Zwiebeln essen.« Sprach's und machte sich ans Werk. Als er aber sieben oder acht Bündel Zwiebeln verzehrt hatte, da trieb ihm deren Schärfe das Wasser aus den Augen und aus der Nasenspitze, Schaum stellte sich ein und erfüllte ihm den ganzen Mund, und er rief: »Ich kann sie nicht aufessen; 100 Rupien aber kann ich auch nicht zahlen. So will ich denn lieber die 100 Peitschenhiebe ertragen.« Als ihm aber eine Anzahl Peitschenhiebe verabreicht waren, rief er laut: »Auch die kann ich nicht aushalten! Ich will die 100 Rupien mit Zinsen zahlen. Schlagt mich nur nicht tot!« So mußte er nicht nur das Gelächter der Leute über sich ergehen lassen, sondern hatte außerdem noch körperliche Pein erduldet.

Die Hirtenfrau und ihre Liebhaber

In einer Stadt lebte die Frau eines Hirten, welche mit dem Polizeimeister und mit seinem Sohne ein Liebesverhältnis unterhielt. Als sie einst gerade mit dem Sohne beim Liebesspiel war, stellte sich auch der Polizeimeister ein. Sie sah ihn, steckte den Sohn in die Vorratskammer und belustigte sich nun mit ihm wie vorher mit dem Sohne. Da kam auch noch ihr eigener Mann hinzu. Als sie ihn gewahrte, sagte sie geistesgegenwärtig zum Polizeimeister: »Stell dich wütend und mach, daß du fortkommst!« Er tat es. Der Hirt trat ein, sah sie an und fragte sie: »Was wollte denn der Polizeimeister hier?« Sie antwortete ihm: »Er war wütend auf seinen Sohn – weshalb, weiß ich nicht – und prügelte ihn. Da flüchtete sich sein Sohn in dein Haus. Ich kenne deinen Mut und deinen Stolz, und deshalb schützte ich den jungen Mann und steckte ihn in die Vorratskammer. Als der Vater ihm nachlief, konnte er ihn nicht finden. Er kam nach deinem Hause. Bei seinem Anblick schloß ich die Tür. Er merkte wohl, daß ich seinen Sohn verbarg; weil er sich aber vor dir fürchtete, getraute er sich nicht herein. Da lief er davon und drohte in seinem Zorn mit Anzeige beim König. Hier ist sein Sohn.« Und damit zeigte sie ihm denselben, wie er in der Vorratskammer steckte. Der Hirt sah ihn und – lobte seine Frau.

Eisenfressende Mäuse

In einer Stadt lebte ein verarmter Kaufmannssohn; der gab einem Freunde eine aus 1000 Pfund Eisen bestehende Waage zur Aufbewahrung und zog in die Fremde, um Geld zu verdienen. Weil er aber kein Glück hatte, so gelang es ihm nicht, etwas zu verdienen, und er kehrte heim, wie er gegangen war. Als er seinen Freund um die ihm zur Verwahrung gegebene Waage bat, sagte dieser — denn er war ein habgieriger Mann —: »Die haben die Mäuse gefressen!« Da dachte der andere: »Das ist doch etwas ganz Neues! Doch ich weiß schon, was da hilft.« Er tat also, als ob er seinem Freunde glaubte, und entfernte sich, indem er das Söhnchen seines Freundes bat, ihm Öl und anderes zu tragen, weil er sich salben und baden wolle. Nachdem er sich gebadet hatte, verbarg er seines Freundes Sohn irgendwo und kam zum Vater zurück. Dieser fragte ihn: »Wo ist denn der Junge?« Er antwortete: »Den hat ein Falke geraubt.« Als der Vater das hörte, war er bestürzt über das Verschwinden des Kindes, ging nach dem Gericht und flehte die Richter an: »Schützt mich! Schützt mich! Dieser Bösewicht hat mir meinen Sohn entführt!« Die Richter fragten den Beschuldigten, und dieser sagte: »Ein Falke hat ihn geraubt.« Die Richter sagten: »Was soll das heißen? Das gibt's doch in aller Welt nicht!« Der Kaufmann entgegnete: »Das ist doch kein Wunder! Haben nicht die Mäuse meine Waage gefressen, die aus 1000 Pfund Eisen bestand?« Als die Richter das hörten, ließen sie sich die Geschichte erzählen und sagte dann zum Kläger: »Gib dem Manne seine aus 1000 Pfund Eisen bestehende Waage zurück, dann wird auch er dir deinen Jungen wiederbringen.« Und beide taten, wie ihnen geheißen.

Der Esel im Tigerfell

Ein Wäscher hatte einen Esel, welcher imstande war, ganz außerordentliche Lasten zu tragen. Um ihn zu ernähren, bedeckte ihn der Wäscher mit einem Tigerfell und führte ihn dann, wenn's Nacht wurde, in anderer Leute Getreide; und der Esel ließ sich anderer Leute Getreide nach Herzenslust schmekken, denn kein Mensch wagte es, zu ihm zu gehen und ihn zu verjagen, weil jeder ihn für einen Tiger hielt. Einst aber lauerte ihm ein Feldwächter auf. Er hatte einen staubgrauen Mantel über seinen Körper gezogen und hielt seinen Bogen bereit, um das Raubtier zu töten. Als der Esel ihn von weitem sah, regte sich in ihm die Liebe; denn er hielt den Mann für eine Eselin. Darum schrie er und lief auf ihn zu. Der Feldwächter aber erkannte den Esel als solchen an seiner Stimme und tötete ihn.

Gōminī

Im Lande der Drawida liegt eine Stadt namens Kāntschī. In dieser lebte ein unvermählter Handelsherr, welcher Schaktikumāra hieß und vielfacher Millionär war. Als er etwa 18 Jahre alt geworden, stellte er einmal folgende Betrachtung an: »Wer keine Frau oder vielmehr keine zu ihm passende Frau besitzt, der kann nicht wirklich glücklich leben. Ich will mich also mit einer tüchtigen Frau vermählen. Aber wie könnte ich eine solche ausfindig machen?« Da er nun nicht glaubte, daß eine Gemahlin, welche er im Vertrauen auf die Empfehlungen anderer ehelichen würde, zufällig alle die guten Eigenschaften haben könne, in deren Besitz er seine Gattin zu sehen wünschte, so verkleidete er sich in einen Astrologen, band ein Prastha Reis in einen Zipfel seines Kleides und wanderte in die weite Welt.
Wer eine Tochter besaß, der zeigte sie ihm in der Ansicht, es mit einem Manne zu tun zu haben, welcher die Körperzeichen zu deuten verstand. Bekam er nun eine Jungfrau zu Gesichte, welche mit den glückverheißenden Körpermalen geziert war und einer vornehmen Kaste angehörte, so sagte er jedesmal zu ihr: »Liebes Kind! Kannst du mir wohl aus diesem Prastha Reis ein gutes Mahl bereiten und mich damit bewirten?« Überall ward er verlacht und abgewiesen; trotzdem aber setzte er seine Wanderung fort von Haus zu Haus.
So kam er einst in einer großen Stadt im Lande der Schibi und am Südufer der Kāwērī an ein verfallenes Gebäude. In diesem stellte eine Amme ihm eine Jungfrau vor, die nur mit wenig Geschmeide geziert war; denn ihr großes Vermögen hatte sie zugleich mit ihren beiden Eltern verloren, und das Haus war ihr ganzer Besitz. Während auf ihr sein prüfendes Auge ruhte, dachte er: »Alle Glieder dieses Mädchens haben das rechte Ebenmaß: keins ist zu stark oder zu schwach, zu kurz oder zu lang, und kein Fleckchen stört die Reinheit ihrer Haut. Ihre Hände zeigen eine Menge glücklicher Linien: das Gerstenkorn, den Fisch, die Lotusblume, den Krug und wie sie alle heißen. Handflächen und Finger sind gerötet. Fußgelenke und Knöchel gehen sanft ineinander über. Die Füße sind nicht dürr, und die Sehnen sind an ihnen nicht sichtbar. Die Unterschenkel sind regelmäßig gerundet, die Knie treten nicht hervor, sondern stecken gleichsam in den fleischigen Oberschenkeln. Umfang

der Hüften und Lenden bilden einen vollkommenen Kreis, der ebenmäßig geteilt, symmetrisch und durch Verteilung der Lendengruben anmutig geziert ist. Sehr fein ist die Gegend um den tiefliegenden Nabel, die ein wenig zurücktritt. Ihren Unterleib begrenzen in seinem oberen Teil drei zierliche Fältchen. Der ganze Raum ihres Busens ist von den beiden Brüsten bedeckt, von prachtvollem Umfang an ihrer Wurzel, gekrönt durch die hervortretenden Brustwarzen. Ihre Arme sind schlank und außerordentlich zart, vertieft an den Gelenken, an den Handflächen mit den Linien geziert, welche ein Zeichen für Geld, Getreide und zahlreiche männliche Nachkommenschaft sind. Ihre Nägel sehen wie Perlen aus; sie sind glatt und glänzend, schön gewölbt und weich. Gerade, ebenmäßig gerundet und rosig sind ihre Finger, und die Schultern senken sich nach beiden Seiten. Ihr lieblicher, zarter Nacken ist muschelförmig gerundet. Ihr Antlitz gleicht einer Lotusblume. Ihre Lippen sind rund und rot und in der Mitte deutlich voneinander getrennt, das anmutige Kinn ist nicht zu klein, das Wangenrund ist straff und zeigt gerade die richtige Fülle. Ihre Augenbrauen ähneln zwei Ranken. Sie stoßen in der Mitte nicht zusammen, wie man es bei Hexen findet, sind sanft gebogen, schwarz und glatt. Ihre Nase gleicht einer noch nicht völlig erschlossenen Sesamblüte. Langgestreckt sind ihre Augen. Sie funkeln in lieblichem Glanze, sind schwarz in den Augensternen, weiß in deren Umgebung und in den Winkeln rot und irren nicht unstet umher. Ihre schöne Stirne gleicht dem Halbmond und ist von einer Lockenreihe umrahmt, die sich in ihrer Schönheit ausnimmt wie eine Mine von Saphirsteinen. Ihre schönen Ohren hängen anmutig nieder wie zweifach geringelte Stengel welker Lotusblumen. Die Fülle ihres duftenden Haupthaars aber ist nicht über Gebühr gewellt und zeigt selbst an den Spitzen keinen rötlichen Schimmer, sondern ist in seiner ganzen mächtigen Länge gleichmäßig glatt und schwarz infolge natürlicher Beschaffenheit jedes einzelnen Haares.

Eine solche Gestalt kann die Schranken der guten Sitte unmöglich überschreiten. Schon hängt mein Herz an ihr, und an ihr allein. Ich werde mich also wohl mit ihr vermählen, wenn sie die Prüfungen besteht, die ich ihr auferlegen will. Denn wer unbedacht handelt, der kann unmöglich der Reue entgehen, zu der sich die Gründe in Menge und in ununterbrochener Reihe bei ihm einfinden.«

Nach dieser Überlegung richtete er seinen liebevollen Blick auf die Jungfrau und fragte sie: »Holdes Kind! Wärest du wohl imstande, mir aus diesem Prastha Reis eine vollständige Mahlzeit zu bereiten und mich damit zu bewirten?« Die Jungfrau sah ihre alte Dienerin bedeutungsvoll an, nahm aus seiner Hand das Getreide entgegen, obwohl es nur ein Prastha war, wusch dem Fremdling die Füße und lud ihn dann an einer wohlgesprengten und gefegten Stelle der Terrasse vor ihrer Haustür zum Sitzen ein. Darauf entfernte sie mit dem Stößel die Rispen der Duftreiskörner, ließ sie mäßig lange in der Sonne trocknen, indem sie sie dabei wieder und wieder umrührte, breitete sie auf fester und glatter Unterlage aus, strich dann ganz sanft mit dem Rücken eines Halmes darüber hin und trennte so die Körner von allen Rispen. Dann sagte sie zu ihrer Amme: »Mütterchen! Diese Rispen können die Goldschmiede zum Polieren ihrer Geschmeide gebrauchen. Verkaufe sie ihnen, und für die Münze, welche du dafür bekommst, bringe mir recht harte, nicht zu feuchte und nicht zu trockene Holzscheite, einen mäßig großen Topf und zwei Teller.« Als dies geschehen war, schüttete sie die Reiskörner in einen Mörser aus Kakubhaholz, dessen Bauch nicht zu tief, nicht zu flach und nicht zu weit war, nahm eine schwere und lange Mörserkeule aus Khadiraholz, deren unterer Teil mit Metall beschlagen und deren Schaft ebenmäßig war, und indem sie ihre Arme in ebenso geschicktem wie anmutigem Spiele tummelte und den Stößel hob und senkte, drosch sie den Reis, den gedroschenen wieder und wieder mit den Fingern herausholend, sonderte dann mit der Getreideschwinge die Körner von den Grannen, wusch erstere wiederholt in reichlichem Wasser, brachte dem Herd seine Spende dar und warf den Reis in Wasser, welches fünfmal soviel Raum einnahm wie später die gekochte Speise. Als sich dann die inneren Teilchen der Reiskörner lösten und diese quollen und barsten wie aufspringende Knospen, verringerte sie das Feuer, deckte einen Deckel auf den Topf und goß das Reiswasser ab. Dann stieß sie einen Löffel in den Reis und rührte ihn mäßig um, bis er gleichmäßig gekocht war, worauf sie den Topf umkehrte, so daß er mit seiner Öffnung nach unten stand. Die Holzscheite, welche im Innern noch nicht verbrannt waren, begoß sie von allen Seiten mit Wasser, so daß das Feuer verlosch und sie sich in schwarze Kohlen verwandelten. Sie ließ diese durch ihre Amme zu Leuten tragen, die ihrer bedurften, und gab ihr den Auftrag, für die gelösten Kākinīs Kompott, Butter, saure Milch, Sesamöl, eine Myrobalane und eine Tamarinde zu bringen, soviel sie eben dafür bekommen könne. Nachdem dies geschehen war, bereitete sie damit zwei oder drei Arten von Zukost, stellte einen der neuen Teller in nassen Sand, goß das Reiswasser hinein, kühlte es mit dem sanften Wind, den sie durch Fächeln mit einem Fächer hervorbrachte, salzte es und durchduftete es mit Räucherwerk, das sie auf die glimmenden Kohlen warf, zerrieb die Myrobalane ganz fein und durchduftete sie mit Lotusgeruch. Dann ließ sie ihren Gast durch ihre Amme bitten, sich zu baden. Die Amme, die sich selbst vorher gebadet hatte, reichte ihm das Sesamöl und die zerriebene Myrobalane, so daß er gemächlich baden konnte. Nach dem Bade nahm er auf einem Sitzbrett Platz, welches auf den erst besprengten und dann gefegten Estrich gelegt war. Die Jungfrau trug ihm zuerst nur das Reiswasser auf. Als er es getrunken hatte, war alle Ermüdung verschwunden, die er noch von seiner Wanderung her empfunden hatte. Er war heiter und fühlte eine wohlige Kühle am ganzen Körper. Darauf reichte sie ihm zwei Löffel Reismus und trug ihm etwas zerlassene Butter, eine Suppe und ein würziges, die Eßlust erregendes Kompott auf. Dann reichte sie ihm die übrige Reisspeise, mit saurer Milch, die mit Tridschātaka, einem Öl, gemischt war, und mit Buttermilch und saurem Reisschleim, die ihn beide ebenso durch ihren Duft wie durch ihre Kühle erquickten. So war er gesättigt und vermochte nicht einmal alles zu verzehren. Darauf bat er um einen Trunk. Sie brachte eine neue, mit Wasser gefüllte Kanne. Das Wasser war mit duftender Aloe beräuchert, mit frischen Trompetenblumen durchduftet und mit Wohlgeruch behaftet, den ihm aufgeblühte Lotusblumen verliehen. Das goß sie ihm in reichlichem Gusse ein. Er setzte die Schale an seine Lippen und trank das klare Wasser in vollen Zügen. Dabei öffneten sich unter dem Einfluß der eiskalten Tropfen seine Augenlider so weit, daß es unter ihnen wie Morgenrot hervorleuchtete. Der fallende Wasserstrahl ergötzte sein Ohr. Seine Wangen strafften sich, weil sich auf ihnen infolge der wohltuenden Berührung die Härchen sträubten; seine Nasenlöcher weiteten sich, um die verschwenderische Menge der Wohlgerüche einzuziehen, und seinen Geschmackssinn erquickte der außerordentliche Wohlgeschmack. Schließlich schüttelte er mit dem Kopfe, zum Zeichen, daß es nun genug sei. Sie setzte die Kanne ab und gab ihm aus einer anderen das Wasser zum Mundausspülen. Die Alte trug die übriggebliebenen Speisen ab, er legte seinen eigenen zerschlissenen Mantel auf den mit grünlichem Kuh-

dung bestrichenen Estrich und ruhte ein wenig. Und weil er von dem Erlebten voll befriedigt war, so vermählte er sich mit der Jungfrau in aller Form und führte sie in sein Heim.
Dort aber setzte er alle Rücksicht auf sie beiseite und machte eine Hetäre zu seiner Frau. Auch dieser diente die erste wie einer lieben Freundin. Im Dienste ihres Gemahls aber kannte sie keine Lässigkeit; sie diente ihm wie einem Gotte. Ebenso verrichtete sie ihre häuslichen Geschäfte sorglich bis ins kleinste. Der Dienerschaft gegenüber war sie unerschöpflich in freundlicher Höflichkeit, so daß diese in unerschütterlicher Treue an ihr hing.
So viel Vorzüge gewannen ihr vollends ihren Gatten, so daß er ihr sein ganzes Haus unterstellte, mit Leib und Seele nur ihr ergeben war.
Darum sage ich: »Des Weibes Wert erfreut den Mann und frommt ihm.«

Nimbawatī

In Saurāschtra liegt eine Stadt namens Walabhī. Dort wohnte ein Reeder Grihagupta, der es an Reichtum mit dem Beherrscher der Gnomen aufnehmen konnte und eine Tochter Ratnawatī hatte. Mit dieser vermählte sich Balabhadra, der Sohn eines Karawanenbesitzers aus Madhumatī. Als er mit seiner jungen Frau allein war, wehrte sie seinem Liebeswerben mit solchem Ungestüm, daß er plötzlich einen gewaltigen Haß gegen sie faßte und ihr verbot, sich jemals wieder vor ihm erblicken zu lassen. Seine Freunde mochten ihm zureden, soviel sie wollten, er fühlte sich von ihr dermaßen gedemütigt, daß er nicht dazu zu bewegen war, auch nur ihre Wohnung zu betreten.

Weil sie nun durch ihre Schuld in unglücklicher Ehe lebte, so mußte sie fortab die Verachtung der Ihrigen und der Fremden tragen, welche sagten: »Das ist keine Ratnawatī[1], sondern eine Nimbawatī[2].« Als eine geraume Zeit verstrichen war, dachte sie in bitterer Reue: »Was soll nun aus mir werden?« Während sie eines Tages solchen trüben Gedanken nachhing, kam eine alte Nonne, welcher sie wie ihrer eigenen Mutter zugetan war, zu ihr auf Besuch und brachte ihr von einem Opfer übriggebliebene Blumen. Vor dieser weinte sie bitterlich, weil sie mit ihr allein war. Da rannen auch der Nonne die Tränen über die Wangen; sie sprach ihr gütlich zu, sosehr sie konnte, und fragte sie nach der Ursache ihrer Zähren. Zwar wollte die Scham den Mund der jungen Frau verschließen; der Ernst ihrer Lage aber ließ sie es schließlich über sich gewinnen, zu reden: »Wie soll ich dir's sagen, Mütterchen? Eine unglückliche Ehe ist für eine Frau ein lebendiger Tod, und ganz besonders für eine Frau aus guter Familie. Zu einem Beispiel dafür bin leider ich selbst geworden. Sogar meine Blutsverwandten, nicht zum wenigsten meine Mutter selbst, haben für mich nur noch Blicke der Verachtung. O könntest du's erreichen, daß ich wieder gern gesehen würde! Kannst du mir's nicht versprechen, so wäre es wohl am besten, ich machte noch heute meinem unnützen Dasein ein Ende. Doch bitte ich dich, mein Geheimnis zu wahren, bis alles vorbei ist!«

1 »aus Edelsteinen bestehend« 2 »aus Nimba bestehend«. Der Nimba ist ein seiner bitteren Früchte wegen bekannter Baum (Azadirachta indica), welcher in der Heilkunde Verwendung findet.

Bei diesen Worten warf sie sich der Alten zu Füßen. Diese hob sie auf und sagte tränenden Auges zu ihr: »Nur keinen so übereilten Vorsatz, liebes Kind! Bin ich doch bei dir, deiner Weisung gewärtig. Solange du meiner bedarfst, will ich mich völlig deinem Dienste widmen. Ist dir das Weltleben verekelt, so kasteie dich unter meiner Leitung, auf daß du die ewige Seligkeit gewinnest. Gewißlich ist es die Frucht einer Schuld, die du in einem früheren Dasein auf dich geladen hast, wenn du bei all deinem Liebreiz und deinem untadeligen Wandel und trotz der angesehenen Familie, der du entstammst, so plötzlich für deinen Gemahl ein Gegenstand des Hasses geworden bist. Kennst du jedoch ein Mittel, den Haß deines Mannes in sein Gegenteil zu verkehren, so laß es mich hören. Denn du hast ja, wie ich weiß, einen sehr scharfen Verstand!« Darauf saß Nimbawatī mit gesenktem Köpfchen eine Weile sinnend da; dann seufzte sie tief und heiß, und nur gewaltsam entrang es sich ihren Lippen: »Der Gemahl, du Heilige, ist die einzige Gottheit, der wir Frauen huldigen müssen, und besonders wir Frauen aus gutem Hause. Daraus folgt, daß etwas geschehen muß, was mir dazu verhilft, daß ich seines Dienstes wieder gewürdigt werde. Nun haben wir einen Nachbarn, einen Kaufmann, der der angesehenste von allen Bürgern ist; denn er übertrifft die andern alle nach Abkunft und Vermögen und ist ein vertrauter Freund des Königs. Seine Tochter Kanakawatī ist mir in liebevollster Freundschaft verbunden und ist mir ähnlich, nicht nur in der allgemeinen Erscheinung, sondern Glied für Glied. Auf ihres Palastes flachem Dache will ich mit ihr zusammen, aber noch einmal so schön geschmückt wie sie, spazierengehen. Du aber mußt die schwierige Aufgabe übernehmen, meinen Mann an dieses Haus zu führen; du kannst ja sagen, meiner Freundin Mutter lasse ihn mit beweglichen Worten zu sich bitten. Sobald ihr herangekommen seid, will ich dann meinen Ball verlieren; das muß natürlich aussehen, als geschehe es in der Aufregung meines leidenschaftlichen Spiels. Du hebst den Ball auf, reichst ihn meinem Mann und sagst zu ihm: ›Dieses Mädchen, mein Sohn, ist die Freundin deiner Frau; es heißt Kanakawatī und ist die Tochter Nidhipatidattas, des angesehensten aller Handelsherren. Sie ist gar nicht gut auf dich zu sprechen und wirft dir Unbeständigkeit und Hartherzigkeit gegen Ratnawatī vor. Dieser Ball ist also Feindesgut; gib ihn zurück!‹ Wenn du das zu ihm sagst, wird er emporblicken und wird mich für meine gute Freundin halten. Ich bitte ihn dann, indem ich die Hände zusammenlege; du forderst ihn nochmals auf, und er wird mir den Ball zurückgeben, und ein sehnendes Verlangen wird sich in ihm regen. Dieses Verlangen soll die Bresche sein, durch welche ich den Zutritt zu seinem Herzen schon finden will. Ich will es zu lodernder Leidenschaft steigern, bis er mir schließlich ein Stelldichein gibt und mich in ein anderes Land entführt.«

Auf diesen Plan ging die Nonne mit Freuden ein und führte ihren Teil der Aufgabe erfolgreich durch. Von der alten Asketin getäuscht, glaubte es Balabhadra mit Kanakawatī zu tun zu haben und entführte seine Frau, die ihre Juwelen und ihren wertvollsten Schmuck mitnahm, in stockfinsterer Nacht. Die Nonne dagegen sprengte ein falsches Gerücht aus, indem sie erzählte: »Balabhadra hat gestern zu mir gesagt: ›Ich Unseliger habe ohne jeden Grund Ratnawatī vernachlässigt, meine Schwiegereltern dadurch gedemütigt und mich an meiner Freunde Rat nicht gekehrt. Ich müßte mich schämen, wollte ich hier unter ihnen wohnen bleiben.‹ Wahrscheinlich ist er nun mit Ratnawatī fortgezogen. Die Wahrheit muß sich ja bald herausstellen.«

Als seine Verwandten das hörten, hatten sie's nicht besonders eilig, Nachrichten über ihn einzuziehen. Ratnawatī aber mietete sich unterwegs eine Dienerin, und während diese die Wegzehrung trug und alles, dessen sie sonst bedurften, kamen die Flüchtlinge nach Khētakapura. Da Balabhadra ein gewiegter Kaufmann war, so gelang es ihm, trotz seines recht geringen Anfangskapitals ein großes Vermögen zu erwerben. Man rechnete ihn bald unter die ersten Bürger der Stadt. Dem wachsenden Reichtum gesellte sich eine große Dienerschaft. Jetzt fuhr Ratnawatī jene erste Dienerin mit harten Worten an: »Du drückst dich um jede Arbeit! Was dir unter die Augen kommt, das stiehlst du! Und dazu führst du noch freche Reden!« Diese Vorwürfe begleitete sie mit einer gehörigen Tracht Prügel. Darüber war die Dienerin empört, und weil ihr Ratnawatī zu der Zeit, da sie bei dieser noch in Gnade stand, das Geheimnis ihrer Entführung anvertraut hatte, so ließ sie vor andern allerlei Andeutungen über diese Geschichte fallen. Das kam dem Polizeimeister zu Ohren, und da er ein habgieriger Mann war, so begab er sich zu den Stadtältesten und erstattete gegen Balabhadra Anzeige, indem er mit höchster Entrüstung erklärte: »Balabhadra ist ein Verbrecher. Er hat den Kaufmann Nidhipatidatta bestohlen und seine Tochter Kanakawatī entführt und hat sich dann in unserer Stadt niedergelassen. Ich darf wohl auf die Zustimmung der Herren rechnen, wenn ich sein gesamtes Vermögen einziehe.«

Balabhadra war ganz bestürzt; aber Ratnawatī sagte zu ihm: »Du brauchst dich nicht zu fürchten. Du sagst einfach: ›Meine Frau ist ja gar nicht Nidhipatidattas Tochter Kanakawatī; sie heißt Ratnawatī, ist Grihaguptas Tochter, stammt aus Walabhī und ist mir dort von ihren Eltern gegeben und von mir rechtmäßig geehelicht worden. Glaubt ihr mir nicht, so sendet einen Boten zu ihrer Familie!« Balabhadra gab diese Erklärung ab und blieb unter der Bürgschaft seiner Gilde so lange wohnen, bis Grihagupta, durch ein Schreiben der Stadt von dem Vorfall in Kenntnis gesetzt, persönlich nach Khētakapura kam und außer sich vor Freude seine Tochter samt seinem Schwiegersohn abholte.

Balabhadra hatte zwar Ratnawatī schon vorher gesehen; aber erst als er sich einbildete, sie sei Kanakawatī, gewann sie derselbe Balabhadra, der sie als Ratnawatī verschmäht hatte, unaussprechlich lieb. Darum sage ich: »Liebe ist nichts als Einbildung.«

Nitambawatī

Im Lande Schūrasēna liegt eine Stadt, welche Mathurā heißt. In dieser wohnte ein Jüngling aus angesehener Familie, der an den gesellschaftlichen Künsten und den Hetären mehr als gebührlich Freude fand; und da er nur mit seines Armes Stärke für seine Freunde gar manchen Strauß glücklich ausgefochten, so hatten ihm die Raufbolde den Spitznamen Streitdorn gegeben, mit dem er allgemein bezeichnet wurde.
Eines Tages erblickte der »Streitdorn« in der Hand eines fremden Künstlers ein Gemälde, auf welchem eine junge Frau dargestellt war; und die Betrachtung des Bildes genügte, um sein Herz zu entzünden. Er sagte zu dem Maler: »Die Dame, lieber Meister, die Ihr hier gemalt habt, scheint die offenbarsten Gegensätze in sich zu vereinigen. Denn ihr Körper ist von einer Schönheit, wie man sie schwerlich bei Frauen aus gutem Hause trifft, doch weist ihre bescheidene Haltung deutlich auf ihre edle Abkunft hin. Die Farbe ihres Gesichts ist blaß, ihres Leibes Liebreiz hat nicht unter übermäßigem Kosen gelitten, und welche Fülle von Liebesverlangen blickt aus ihrem Auge! Und dennoch kann ihr Gemahl nicht fern von ihr weilen; denn weder ein geflochtener Zopf noch irgend etwas anderes deutet darauf hin. Auch trägt sie ja hier an der rechten Seite eine Perle[1]. Und doch glaube ich, Ihr habt sie mit außergewöhnlicher Meisterschaft und ganz naturgetreu gemalt. Sie ist offenbar die Gemahlin eines alten Kaufherrn, der nicht mehr über besonders große Manneskraft verfügt, so daß sie unter dem Mangel der Liebkosungen leidet, die ihr gebührten.« Der Maler lobte sein Kunstverständnis und sprach: »Ihr habt's getroffen! Die Dame ist Nitambawatī und führt diesen Namen mit Recht. Sie wohnt in Udschdschajinī, der Hauptstadt von Awanti, und ist mit dem Karawanenbesitzer Anantakīrti verheiratet. Ihre Schönheit erfüllte mich mit staunender Bewunderung, so daß ich sie so gemalt habe, wie Ihr sie hier seht.«
Der »Streitdorn« war seiner Sinne nicht mehr mächtig. Er mußte Nitambawatī selbst sehen; und darum machte er sich sofort auf nach Udschdschajinī. Indem er sich als Astrologen ausgab, ging er unter dem Vorwand, seine Nahrung zu erbit-

1 Frauen, deren Ehemänner verreist sind, tragen einen schmucklosen, über den Rücken herabhängenden Zopf und legen kein Geschmeide an.

ten, in ihr Haus und bekam sie zu Gesichte. Ihr Anblick steigerte sein Verlangen nach ihr nur noch mehr. Er begab sich zu den Ältesten der Stadt, bat um das Wächteramt auf dem Platze, auf dem die Leichen verbrannt wurden, und erhielt es auch. Die Leichentücher und andere Dinge, mit denen die Leidtragenden seine Dienste belohnten, schenkte er einer Nonne Arhantikā und bestimmte sie dadurch, zu Nitambawatī zu gehen und sie heimlich durch ihre Worte zu seinen Gunsten zu betören. Doch Nitambawatī wies die Kupplerin mit harter Rede ab. Aus dem Bericht der Nonne entnahm er, daß seine Geliebte sich betrug, wie es einer Dame aus gutem Hause geziemt, und daß es unmöglich war, sie zu verführen. Darum gab er der Kupplerin heimlich folgende Anweisung: »Besuche nochmals die Gemahlin des Kaufherrn; und wenn du sie allein antriffst, so sage zu ihr: ›Wie konntest du nur im Ernste glauben, daß eine Frau wie ich wirklich die Absicht hegen kann, Damen aus guter Familie zur Unkeuschheit zu verleiten! Habe ich mich doch, eben weil ich die ganze Ruchlosigkeit des Weltlebens durchschaut habe, der Kasteiung geweiht und trachte nach nichts anderem als nach der Erlösung. Ich habe dich nur prüfen und sehen wollen, ob auch du bei deinem großen Reichtum, deinem überirdischen Liebreiz und deiner großen Jugend von der Leichtfertigkeit angesteckt bist, der andere Frauen so schnell erliegen. Ich freue mich nun, daß du so völlig unverdorben bist, und ich wünsche dir von Herzen das Glück der Mutterschaft. Leider hat deinen Gemahl irgendein Dämon in seine Gewalt bekommen, so daß er von Gelbsucht befallen und geschwächt und dauernd unfähig geworden ist, mit dir zu kosen. Gelingt es nicht, jenes Dämons hemmendem Einfluß wirksam entgegenzutreten, so ist jede Hoffnung, ein Kind von deinem Gatten zu empfangen, aussichtslos. Tu mir darum den Gefallen und komme ganz allein in deinen Baumgarten. Ich bringe dahin einen zauberkundigen Mann. Dem mußt du — es sieht's ja niemand! — deinen Fuß auf die Hand setzen. Er spricht dir einen Zauberspruch darüber; du stellst dich zornig gegen deinen Mann und stößt ihm mit dem Fuße auf die Brust. Dadurch erlangt er die Fähigkeit, vollkommene, saft- und kraftvolle Nachkommen zu erzeugen, und er wird dir huldigend dienen wie einer Göttin. Etwas Bedenkliches ist nicht bei der Sache.‹ Wenn du so zu ihr sprichst, wird sie gewiß kommen. Du führst zuerst mich, wenn es Nacht geworden, in den Garten und bringst sie darauf gleichfalls hin. Dies ist der ganze Dienst, um den ich dich bitten möchte.«

Die Nonne erklärte sich zu diesem Dienst bereit. Da war er ganz außer sich vor Freude und ging gleich in der nächsten Nacht in den Garten. Der Asketin gelang es – nicht ohne Mühe –, Nitambawatī zum Kommen zu bewegen. Als ihr dies aber gelungen war, nahm der Streitdorn den Fuß der Dame in die Hand, und während er anscheinend mit seiner Hand nur leise darüber strich, entwendete er ihr hastig einen goldenen Fußring, brachte ihr mit einem Messer einen leichten Schnitt an der Wurzel des Oberschenkels bei und machte sich dann eiligst aus dem Staube.

Nitambawatī war zu Tode erschrocken. Sie machte sich selbst ihres ungebührlichen Betragens wegen die heftigsten Vorwürfe und wollte die Nonne schier umbringen. Dann wusch sie sich die Wunde in einem zum Hause gehörenden Teiche ab, legte sich einen Verband an, entfernte den entsprechenden Fußring vom Knöchel des anderen Fußes und hütete drei bis vier Tage, ein Unwohlsein vorschützend, das Bett, ohne irgend jemand den Zutritt zu ihr zu gestatten.

Der Schelm aber nahm den entwendeten Fußring, begab sich zu Anantakīrti und bot ihm das Schmuckstück zum Kaufe an. Kaum hatte es dieser gesehen, so sagte er zum Streitdorn: »Dieser Fußring ist das Eigentum meiner Frau; wie bist du in seinen Besitz gekommen?« Der Streitdorn zögerte mit der Antwort; desto mehr drang der Handelsherr in ihn. Schließlich sagte jener: »Ich will Euch Rede stehen, aber nur vor der versammelten Kaufmannschaft.« Und dabei blieb er. Nun schickte der Kaufherr zu seiner Frau und ließ sie auffordern, ihm ihre beiden Fußringe zu senden. Außer sich vor Angst und Scham schickte sie ihm den einen Ring, den sie noch besaß, und ließ ihm sagen: »Den einen Fußring, dessen Verschluß sehr locker war, habe ich vergangene Nacht im Baumgarten verloren, in den ich gegangen war, um mich etwas zu erfrischen. Trotz allen Suchens ist mir's noch nicht gelungen, ihn wiederzufinden. Hier ist der andere.«

Als das der Kaufmann hörte, hieß er den Streitdorn vorangehen und begab sich mit ihm vor die versammelte Kaufmannsgilde. Der Schelm wurde verhört, stellte sich ganz demütig und machte seine Aussage: »Es ist den Herren bekannt, daß ich von Euch mit der Bewachung des Ahnenhains beauftragt bin, dort wohne und aus dem mir übertragenen Amt meinen Unterhalt bestreite. Auch während der Nacht, wenn ich schlafe, bleibe ich auf dem Verbrennungsplatze; denn ich muß damit rechnen, daß geizigen Leuten nur mein Anblick Entsetzen einflößt, und daß sie darum versuchen, ihre Toten in der Nacht zu verbrennen. So sah ich denn neulich, wie in der Nacht eine schwarze weibliche Gestalt sich einem Scheiterhaufen näherte und eine halbverbrannte Leiche gewaltsam aus ihm herauszuzerren suchte. Die Habgier ließ mich die Furcht vor der Hexe überwinden. Ich schlug mich ins Mittel und packte sie. Zufällig ritzte ich sie zwar nur leicht mit meinem Messer am Ansatze des Oberschenkels; diesen Ring aber gelang es mir doch, ihr vom Fußknöchel zu ziehen. Dann lief sie davon, so schnell sie konnte. Auf diese Weise bin ich zu dem Ring gekommen. Über das Weitere bitte ich die Herren zu entscheiden.«

Die Kaufmannschaft trat zur Beratung zusammen, und das Ergebnis dieser Beratung war die einstimmige Meinung der Bürgerschaft, Nitambawatī sei eine Hexe. Ihr Gemahl verstieß sie. Sie ging also unter vielen Tränen in der nächsten Nacht nach demselben Ahnenhain, um sich dort zu hängen. Der Schelm aber hielt sie fest, und es gelang ihm, sie zu begütigen. »Mein schönes Kind«, sagte er, »dein Liebreiz hat mich um den Verstand gebracht, so daß ich dich für mich zu gewinnen suchte. Alle Vorschläge, die dazu führen sollten und die ich dir durch den Mund der Nonne machen ließ, brachten mich nicht ans Ziel meiner Wünsche. Da griff ich denn zu diesem Mittel, das mich dazu führen sollte, mich mein ganzes Leben lang durch deinen Alleinbesitz zu beglücken. Gewähre mir nun deine Huld! Sieh, ich bin ja dein Sklave, und mein ganzes Lebensglück liegt in deiner Hand.«

So redete er ihr zu, fiel ihr immer wieder zu Füßen, zeigte sich unerschöpflich in Mitteln, sie zu begütigen, und da ihr ja nichts anderes übrig blieb, als ihm zu willfahren, so ward sie die Seine.

Darum sage ich: »Durch List kommt das Schwierigste zustande.«

Der Brahmane Harischarman

In einem Dorfe lebte ein Brahmane Harischarman; der war ebenso dumm wie arm, und da er nicht wußte, wovon er leben sollte, so befand er sich in sehr bedrängter Lage, zumal er schier allzuviel kleine Kinder besaß, zur Strafe für Übeltaten, welche er in einem früheren Dasein begangen hatte. So blieb ihm nichts weiter übrig, als mit seiner Familie bettelnd umherzuziehen. Einst kam er in eine Stadt und begab sich in ihr zu einem reichen Hausbesitzer, welcher Sthūladatta hieß. Bei dem nahm er Dienste, indem er sich in seines Hauses Nähe niederließ; seine Frau diente Sthūladatta als Magd und seine Söhne als Hirten der Rinder und des anderen Viehs.

Eines Tages sollte seines Herrn Tochter Hochzeit halten, und das Haus wimmelte von Hochzeitsgästen, die scharenweise herbeigekommen waren. Harischarman freute sich schon darauf, sich bei dieser Gelegenheit mit den Seinen bis zum Halse an Butter, Fleisch und anderen schönen Sachen vollessen zu können. Er lauerte auf die Gelegenheit; aber kein Mensch dachte an ihn; und als es Nacht geworden, hatte er keinen Bissen zu essen bekommen und sagte bekümmert zu seiner Frau: »Wenn man hier so gar nichts auf mich hält, so ist daran nur meine Armut und meine Dummheit schuld. Da muß ich schon eine List gebrauchen und tun, als ob ich ein gescheiter Mann wäre. Dann kann's nicht fehlen, daß Herr Sthūladatta mich hinfort mit besonderer Ehrfurcht behandelt. Sobald sich darum eine Gelegenheit bietet, sagst du ihm, ich besäße übermenschliches Wissen.« So sprach er zu ihr und strengte seinen Verstand an, und als alles schlief, stahl er aus Sthūladattas Hause das Reitpferd des Eidams. Das führte er weit fort in ein sicheres Versteck, und als am Morgen die Hochzeitsgäste nach dem Rosse suchten, war all ihr Suchen vergeblich: es war nirgends zu finden. Sthūladatta war ganz bestürzt über diese schlimme Vorbedeutung und forschte nach dem Roßdieb. Da ging Harischarmans Frau zu ihm und sprach: »Warum fragt Ihr denn nicht meinen Mann? Der ist nämlich nicht nur sehr gescheit, sondern versteht sich auch auf die Astrologie und andere hohe Wissenschaften und gibt Euch das Pferd gewiß zurück.«

Als Sthūladatta solches vernahm, ließ er sich sogleich den Harischarman kommen. Dieser sagte zu ihm: »Gestern habt

Ihr mich vergessen; aber heute, da Euch das Roß gestohlen worden, kommt Euch die Erinnerung an mich zurück!« Sein Herr bat ihn, seine Vergeßlichkeit verzeihen zu wollen und ihm zu sagen, wer das Roß gestohlen habe. Harischarman tat, als ob er etwas von der Sache verstände, zog allerlei Linien und sagte dabei: »An der Gemarkung der Stadt, gerade im Süden von hier, haben es die Spitzbuben versteckt. Lauft, was Ihr könnt, und holt das Pferd, bevor es Abend wird, die Diebe es aus seinem Verstecke holen und fortführen.« Auf diese Auskunft hin liefen eine Menge Leute, es zu suchen, und es währte nicht lange, so hatten sie es gefunden und brachten es herbei, voll des Lobes über Harischarmans Wissen.

Nun stand es bei allen fest, daß er im Besitze höheren Wissens war. Und von Stund an lebte Harischarman dort, von den Leuten verehrt und von Sthūladatta gepriesen, in bequemem Wohlstand.

Die Tage gingen dahin; da gefiel es einem Diebe, aus einem inneren Gemach des Königspalastes eine Menge von Gold und Edelsteinen und anderen Kostbarkeiten zu rauben. Der Dieb war nicht herauszubringen, und da Harischarman seines übermenschlichen Wissens wegen berühmt war, so entbot ihn der König eiligst vor sich. Als er zu dem Fürsten geführt worden war, suchte er Zeit zu gewinnen und sprach: »Ich will es morgen verkünden.« Da ließ ihn der König in ein Gemach bringen und scharf bewachen, so daß ihm sein übernatürliches Wissen recht unbequem ward.

Nun lebte im Königspalast eine Zofe, die hieß Zunge; und sie war es gewesen, die mit ihrem Bruder zusammen die Kostbarkeiten aus dem inneren Zimmer gestohlen hatte. In der Nacht schlich sie sich an das Gemach, in welchem sich Harischarman befand, und legte wißbegierig ihr Ohr an die Tür; denn sein hohes Wissen machte sie bange. Zu dieser Zeit war Harischarman gerade allein, und darum schalt er auf seine Zunge, die ihm fälschlich hohe Weisheit zugesprochen, indem er rief: »Warum hast du auch das getan, o Zunge, in deiner Sucht nach allerhand Genüssen! Du schlechtes Ding! Nun nimm nur hier auch jetzt die Strafe hübsch auf dich!«

Als das die Zofe hörte, welche Zunge hieß, erschrak sie und dachte: »Der weise Mann hat mich erkannt!« Und durch eine List verschaffte sie sich Zutritt zu ihm. Als sie drinnen war, stürzte sie sich dem Weisheitsschwindler vor die Füße und sagte zu ihm: »Da bin ich, Brahmane, die Zunge, in der du die Diebin erkannt hast. Ich habe das Gut hierher, hinter dieses Gebäude, getragen, und hab' es unter dem Granatapfelbaum vergraben. Nimm das Gold, das ich davon behalten habe — es ist leider nicht viel —, aber schone mich!«

Als das Harischarman hörte, warf er sich in Positur und sagte zu ihr: »Alles ist mir bekannt, Vergangenheit, Zukunft und Gegenwart; trotzdem will ich dich nicht verraten, du Jammerweib, da du um meinen Schutz flehst. Geh! Was du aber zurückbehalten hast, das mußt du mir dafür geben.« Die Zofe versprach's und machte sich schleunigst aus dem Staube.

Harischarman war baß erstaunt und dachte: »Das Unmöglichste bringt das Schicksal doch im Handumdrehen zuwege, wenn es einem hold ist! Schon klopfte das Verderben an meine Tür, da — kaum vermag ich's zu glauben — ist auch schon meine Aufgabe erfüllt! Ich tadle meine Zunge, und die Diebin, welche Zunge heißt, liegt vor mir! Die verborgensten Sünden drängen sich ans Licht; natürlich! Das macht die Furcht.« In derlei Gedanken verbrachte er froh die Nacht in seinem Zimmer.

Am nächsten Morgen führte er, sich mit geheuchelter Weisheit brüstend, den König nach dem bezeichneten Ort im Garten und händigte ihm den Schatz aus, welcher dort vergraben lag, indem er behauptete, der Dieb sei unter Mitnahme eines Teiles desselben geflohen.

Der König war hoch erfreut und wollte ihm schon einige Dörfer verleihen, als ihm sein Kanzler ins Ohr flüsterte: »Wie käme ein unstudierter Mann zu solchem übermenschlichen Wissen? Die Sache sieht mir ganz nach Gaunererwerb aus, der sich auf Einverständnis mit dem Spitzbuben gründet. Deine Majestät prüfe doch diesen Weisen vorher noch einmal durch eine andere Probe.«

Da kam der König auf den Gedanken, einen neuen Topf hereintragen zu lassen, mit einem Frosch darinnen und einem Deckel darauf, und sagte zu Harischarman: »Wenn du weißt, was sich in diesem Töpfchen befindet, Brahmane, so will ich dir sogleich mit reichstem Lohne lohnen!« Als der Brahmane das hörte, dachte er, jetzt sei es mit ihm aus; und da ihm durch den Sinn fuhr, daß ihn, als er noch ein Kind war, sein Vater im Scherze »Frosch« zu nennen pflegte, so gab ihm der Leiter der Geschicke ein, diesen Namen zu verwenden, als er plötzlich in die Klage ausbrach: »Darauf warst du nicht gefaßt, braver Frosch, daß dich hier plötzlich ein Topf verderben würde, ohne daß du's hindern kannst!«

Als nun die Anwesenden den Sachverhalt erfuhren, war die Freude allgemein; sie sagten: »Der Mann hat ein ganz wunderbares Wissen! Sogar den Frosch hat er gewußt!« Der König war überzeugt, daß Harischarmans Wissen auf höherer Eingebung beruhte, und in seiner Freude verlieh er ihm eine Anzahl Dörfer nebst Gold und Roß und Wagen. Ein Augenblick hatte aus Harischarman einen Mann gemacht, der einem Vasallenfürsten an Macht und Würde nahestand. Wer einen Schatz guter Werke besitzt, dem schenkt das Schicksal eitel gute Dinge.

Die neue Strophe

Es war einmal ein Schwindler, welcher 100 000 Goldgulden besaß; der kam auf den Einfall, die Leute zu betrügen, indem er fragte: »Wer mir etwas zu Gehör bringt, was ich nicht bereits gehört habe, dem gebe ich diesen Krug, welcher 1000 000 Goldgulden wert ist.« Wenn ihm nun jemand ein funkelnagelneues Gedicht oder sonst etwas Neues vortrug, so sagte er stets: »Das hab' ich schon gehört!« Und mit dieser Lüge machte er immer den anderen mundtot; über sich selbst dagegen verbreitete er dadurch den Ruhm, er sei ein Mann, dem restlos alles bekannt sei, was man lernen könne.
Von dieser Geschichte hörte der Sohn eines zauberkundigen Mannes, der sich an demselben Orte befand, und augenblicklich fiel ihm ein Mittel ein, den Betrüger zu fassen. Er trat auf ihn zu und sagte zu ihm:

Dein Vater schuldet meinem hundert Gulden;
Hast du das schon gehört, so zahl die Schulden.
Hast du's noch nicht gehört, gib ohn' Verzug,
Wie du versprochen, mir den goldnen Krug.

Auf diese Weise betrog ihn der zweite Schwindler, der Sohn des Hexenmeisters, indem er ihn durch seine Klugheit überwand.

Die Weisheit der Alten

Ein jugendlicher König lebte einst hier in Indien, der nur junge Leute leiden mochte. Eines Tages brach er zu einem Eroberungszuge auf. Vor dem Aufbruch aber sagte er zu allen seinen Leuten: »Sorgt dafür, daß sich in meinem Heere keine alten Männer befinden«, womit er meinte: »Laßt keinen Alten in meinem Heere mitziehen.« Das versprachen sie ihm auch.

Nun brach der König mit den Seinen zu dem Eroberungszuge auf. Ein Mann aber, welcher zu dem Heereszuge gehörte, hatte seinen Vater so lieb, daß er ihn heimlich doch mitnahm. Eines Tages kam das Heer in einen dürren, wasserlosen Wald, und als zu Mittag alle von Durst gepeinigt waren, befahl der König seinen jungen Leuten: »Ihr müßt Mittel und Wege finden, zu wasserhaltigem Erdreich zu gelangen und aus ihm Wasser zu gewinnen.« Da sie aber alle jung waren und darum noch keinen gereiften Verstand besaßen, so wußten sie nicht, worin diese Mittel und Wege bestehen könnten. Jetzt suchten sie nach einem Alten; aber keiner vermochte einen zu entdecken. Da ward unter Trommelwirbel ausgerufen: »Ein alter Mann soll sich melden und ein Mittel angeben!« Der Mann, der seinen Vater mitgenommen hatte, berührte die Trommel und führte ihn herbei; und sein Vater sprach: »Lasset Esel in dem Walde frei, und wo diese die Erde beschnobern, dort finden sich Wasseradern.« Sein Rat ward ausgeführt, und nun wurde Wasser gefunden.

Andere aber erklärten: Die Esel gingen so lange, die Erde beschnobernd, dahin, bis sie an einen wassergefüllten See kamen.

Der Weber als Wischnu

In einer Stadt wohnten zwei Freunde, ein Weber und ein Stellmacher. Seit ihrer Kindheit waren sie stets miteinander gegangen, waren einander mit der größten Liebe zugetan, und wo der eine war, da war auch stets der andere zu treffen.
Eines Tages wurde in dieser Stadt in einem Tempel ein hohes Fest gefeiert, welches mit einer Prozession verbunden war. Die beiden Unzertrennlichen schlenderten in dem Gedränge der Tänzer, Schauspieler und Musikanten und dem Gewühl der Menschen umher, die aus aller Herren Ländern herbeigeströmt waren. Da gewahrten sie eine Königstochter, welche gleichfalls herbeigekommen war, die Gottheit zu schauen. Sie ritt auf einer Elefantenkuh, war von Kämmerlingen und Eunuchen umgeben und trug an ihrem Leibe alle Zeichen des Glückes. Ihr Anblick wirkte auf den Weber, als hätte ihn ein böser Dämon gepackt oder als ob er unter den qualvollen Folgen genossenen Giftes stände; denn er stürzte plötzlich nieder. Was ihn aber gefällt hatte, das waren die Pfeile, mit denen ihn der Gott der Liebe getroffen hatte.
Des Freundes Schmerz war auch der Schmerz des Stellmachers; als er den Weber in so betrübter Verfassung gewahrte, hob er ihn auf und brachte ihn, von guten Freunden unterstützt, nach seiner eigenen Behausung. Ärzte wurden geholt, welche allerlei kühlende Mittel verordneten, und Zauberspruchkundige, die sich um ihn bemühten; und ihren gemeinsamen Anstrengungen gelang es schließlich mit knapper Not, den Kranken aus seiner Ohnmacht zu befreien. Der Stellmacher fragte ihn: »Was ist dir zugestoßen, lieber Freund, daß du so plötzlich die Besinnung verloren hast? Sag mir, was dir fehlt!« Der Kranke sprach: »Wenn du's denn wissen willst, lieber Freund, so höre! Ich will dir mein Geheimnis anvertrauen und nichts verschweigen. Ach Freund, wenn dir's mit deiner Freundschaft Ernst ist, so erweise mir den letzten Liebesdienst und schichte mir den Scheiterhaufen. Sollte ich dir in meinem Leben irgendwann einmal zu nahe getreten sein, vergib mir's; der Grund wäre nur ein Übermaß von Liebe gewesen.«
Als das der Stellmacher hörte, füllten sich seine Augen mit Tränen, und schluchzend erwiderte er: »Steht's so, mein Freund? Aber sag' mir doch erst, was dich in solches Leid ge-

bracht hat, damit ich es zu heilen vermag, wenn Heilung möglich ist. Denn es heißt:

In der Welt gibt's nichts von allem, was Brahmans Ei[1] *umschließt, dem sich nicht beikommen ließe durch Heilkräuter, Geld, kräftige Zaubersprüche und durch geistesgewaltiger Männer Klugheit.*

Ist deine Krankheit also durch eines dieser vier Mittel zu heilen, so werde ich sie heilen.« Der Weber sprach: »Mag sein, mein Lieber; dem Übel aber, welches mich befallen hat, läßt sich weder durch diese vier noch durch hunderttausend andere Mittel steuern. Du könntest höchstens meinen Tod verzögern; und das hat keinen Zweck.« Der Wagner entgegnete: »Trotzdem kannst du mir's doch sagen, und wär's nur, damit auch ich die Überzeugung der Unheilbarkeit deiner Krankheit gewinne und mit dir zusammen ins Feuer gehe. Denn die Trennung von dir mag ich keinen Augenblick überleben; das ist mein fester Wille.« Da sagte der Weber: »So höre denn, mein Freund! Du erinnerst dich der Königstochter, die dort zum Fest auf einer Elefantenkuh geritten kam. Kaum hatte ich sie erblickt, so hat der heilige Gott der Liebe, welcher das Krokodil in seinem Banner führt, das Leid über mich verhängt. Die Pein zu ertragen geht über meine Kräfte!«
Auf diese Worte hatte der Stellmacher nur ein Lächeln und sprach: »Wenn's weiter nichts ist, bester Freund: meinen Glückwunsch! Dein Begehren ist erfüllt. Noch heute sollst du mit ihr vereinigt werden.« Darauf der Weber: »Freund! Ihr Mädchenpalast ist von Wachen umstellt, und niemand hat Zutritt zu ihm, außer dem Winde! Wie soll ich da mit ihr zusammenkommen? Ist's recht von dir, gerade mich mit deiner Lügenrede zu höhnen?« Aber der Wagner sprach: »Du wirst ja sehen, was meine Klugheit vermag.« Sprach's und machte sich ans Werk, und im Handumdrehen hatte er aus Wājudschaholz einen Garuda, einen göttlichen Adler, hergestellt, der sich mit den Ellbogen bewegen ließ, dazu ein Paar Arme, ein Muschelhorn, eine Wurfscheibe, eine Keule und eine Lotusblume, ein Gewinde von Waldblumen, ein Diadem und ein Juwel, wie es die Brust Wischnus ziert. Auf diesen Garuda setzte er den

1 die Welt, welche nach einer der vielen verschiedenen Schöpfungssagen dadurch entstand, daß der Schöpfer die Gewässer befruchtete, in denen sich ein Ei bildete. Aus diesem wurde er selbst als Brahman geboren, und aus beiden Schalen bildete er Himmel und Erde.

Weber, staffierte ihn mit den Abzeichen Wischnus heraus, zeigte ihm, wie der Vogel mit den Ellbogen zu bewegen war, und rief: »Wohlan, lieber Freund! Um Mitternacht wird sich die Königstochter im obersten Teile des siebenstöckigen Palastes befinden. Kommst du dann in dieser Gestalt zu ihr an ihr Gemach, so wird sie dich in ihrer Harmlosigkeit für den Sohn Wasudēwas (d. i. für Wischnu) halten; du betörst sie vollends mit schlauen Lügenworten, und sie ist dein.«

Das ließ sich der Weber nicht zweimal sagen! Er flog in seiner Wischnugestalt zu ihr und redete sie an: »Schläfst du, Königstöchterlein, oder bist du noch munter? Das Verlangen zu dir hat mich hierhergeführt. So gib dich mir denn zu eigen!« Die Jungfrau sah ihn auf seinem Garuda sitzen, mit vier Armen und allen Waffen Wischnus ausgestattet, erhob sich ganz erstaunt von ihrem Lager, legte fromm ihre Hände zusammen und sprach: »Heiliger Gott! Ich bin ja nur ein unreiner Menschenwurm: du dagegen bist der hehre Geist, den die Dreiwelt anbetet, die er geschaffen hat. Wie dürfte das geschehen, was du begehrst?« Der Weber erwiderte: »Schon recht, mein Liebchen! Aber als ich noch im Hause des Hirten Nanda weilte, besaß ich eine Gemahlin Rādhā. Die bist du, meine Vermählte. Deshalb bin ich zu dir gekommen.« Sie antwortete ihm: »Wenn sich's so verhält, heiliger Gott, so brauchst du nur bei meinem Vater um mich zu werben; er wird sich keinen Augenblick bedenken, mich dir zu geben.« Darauf sagte der Weber: »Menschen, mein Liebchen, kann ich meines Anblicks nicht würdigen, und noch viel weniger kann ich mit ihnen plaudern. Gib dich mir also in Gandharwa-Ehe[1] zu eigen, oder — ich fluche dir und verwandle dich samt all den Deinen in Asche.«

Nach diesen Worten stieg er von seinem Garuda herab, faßte die vor Scham und Angst zitternde Jungfrau bei ihrer Linken und geleitete sie auf ihr Lager, und nachdem er ihrer während des noch übrigen Teils der Nacht gepflegt hatte, kehrte er im Morgengrauen ungesehen in seine Wohnung zurück. Von da ab verging ihm die Zeit in regelmäßigem Genusse der Liebesfreuden mit dem Königskind.

Eines Tages aber bemerkten die Kämmerer, daß der Prinzessin Korallenlippen recht fatale Verletzungen zeigten, und sagten untereinander: »Potz Wetter! Die Körperteile unserer Königstochter sehen ganz so aus, als hätten sie einen Mann beglückt.

1 eine Ehe, zu der es nur der gegenseitigen Einwilligung zweier Liebender bedarf.

Was soll das heißen? Eine solche Geschichte trotz schärfster Bewachung dieses Gebäudes! Das müssen wir dem König melden!« Gesagt, getan! Sie gingen zum König und sprachen zu ihm: »Majestät! Uns ist's ein Rätsel; aber trotz schärfster Bewachung verkehrt ein Mann im Harem der Prinzessin. Das Weitere geruhe Majestät zu befehlen!«

Diese Worte entfesselten einen Sturm im Herzen des Königs. Er begab sich sogleich zu seiner Gemahlin und sagte zu ihr: »Königin! Stell doch einmal genau fest, was an den Worten der Kämmerer Wahres ist. Wer diesen Frevel begangen hat, dem zürnt der Gott des Todes.« Als die Königin das hörte, geriet sie gleichfalls in die größte Erregung, eilte zu ihrer Tochter und fand ihre Lippen zerbissen und ihren Körper zerkratzt. Da rief sie: »Du Schlechte! Wie konntest du so deine Keuschheit und mit ihr unser Haus vernichten! Wer ist der Mann, der zu dir kommt und den der Tod ins Auge gefaßt hat? Gesteh mir's, und versuche nicht, mich zu belügen!« Die Prinzessin beichtete ihr, das Köpfchen vor Scham geneigt, was zwischen ihr und dem wischnugestaltigen Weber vorging. Als die Königin alles gehört hatte, lachte sie übers ganze Gesicht; ein Freudenschauer ging ihr über den Leib; sie lief eilends zum König und rief ihm zu: »Meinen herzlichen Glückwunsch, Majestät! Der heilige Wischnu ist's, der sich unserer Tochter naht, und zwar ganz regelmäßig jede Mitternacht. Er hat sich mit ihr in Gandharwa-Ehe vermählt. Laß uns denn heute abend beide ans Fenster treten; dann müssen wir ihn um Mitternacht zu Gesichte bekommen. Denn mit Menschen tauscht er keine Worte.«

Als das der König hörte, ward er wieder froh. Der Tag deuchte ihn wie 100 Jahre; er konnte es kaum erwarten, bis er endlich vergangen war. Schließlich kam aber doch die Nacht, und als der König in seinem Versteck hinter dem Fenster lauerte, den Blick an den Himmel geheftet, da sah er zur erwarteten Stunde den Weber auf dem Garuda aus der Luft herniedersteigen, mit Muschelhorn, Wurfscheibe und Keule in den Händen, kurz mit allen bereits erwähnten Kennzeichen ausgestattet. Da ward's ihm zumute, als würde er in einer Flut von Amrita gebadet, und er sagte zur Königin: »Liebe Frau, niemand ist glücklicher und kann sich mir und dir vergleichen, da der heilige Wischnu unser Kind besucht, mit ihm zu kosen. Jetzt sind alle Wünsche erfüllt, nach denen unser Herz begehrt. Jetzt soll mir meines Schwiegersohnes Macht zustatten kommen; die ganze Erde will ich mir unterwerfen!«

Um seinen Entschluß wahr zu machen, überschritt er die Marken seines Landes und fiel in die Reiche aller seiner Nachbarfürsten ein. Als sie das gewahrten, zogen sie ihm allesamt entgegen und stellten sich ihm zum Kampfe. Da ließ der König seiner Tochter durch den Mund der Königin sagen: »Du bist meine Tochter, und der heilige Wischnu ist mein Eidam; geziemt sich's da, daß alle Fürsten mich befehden dürfen? Rede darum heute deinem Gemahl zu und veranlasse ihn, meine Feinde zu vernichten.«

Als sich nun der Weber in der nächsten Nacht wieder bei der Prinzessin einstellte, sagte diese demütig zu ihm: »Papa wird von seinen Feinden hart bedrängt, trotzdem du sein Eidam bist, heiliger Gott! Wenn das geschieht, so ist das eine Schmach für dich. Darum sei ihm gnädig und vernichte seine Gegner!« Der Weber erwiderte: »Was haben denn die paar Feinde zu bedeuten, mein Liebchen! Hab nur keine Angst! Ein Augenblick genügt mir, sie mit meiner Wurfscheibe in Stückchen zu hacken, die nicht größer sind als Sesamkörner.«

Aber die Zeit verging, die Feinde verwüsteten das ganze Land, und schließlich gehörte dem König nur noch seine Festung. Trotzdem merkte er nicht, daß unter der Wischnugestalt ein Weber steckte, und sandte ihm noch immer und jetzt erst recht die herrlichsten Wohlgerüche, wie Kampfer und Moschus, zusammen mit Gewändern, Blumen, Speisen und Getränken aller Art und ließ ihm durch seine Tochter sagen: »Morgen, heiliger Gott, muß bestimmt meine Feste fallen. Denn niemand hat in ihr mehr Nahrung für Mensch und Tier. Dazu sind alle Leute körperlich so herunter, daß keiner mehr zu fechten vermag, und viele sind schon umgekommen. Nimm das zur Kenntnis und tu, was die Zeit erheischt.« Als das der Weber hörte, dachte er: »Fällt die Feste, so ist auch mir der Tod und die Trennung von der Prinzessin gewiß. Da will ich doch lieber meinen Garuda besteigen und mich hoch in der Luft mit meinem Gewaffen den Feinden zeigen. Vielleicht halten auch sie mich für eine Verkörperung Wischnus, geraten darüber in Furcht und lassen sich von des Königs Kriegern töten. Denn es heißt:

Auch eine giftlose Schlange muß eine große Haube blähen; ob sie dann Gift hat oder nicht: die geblähte Haube jagt Entsetzen ein.

Falle ich dagegen im Kampfe für die Stadt, so blüht mir noch ein besseres Los. Denn es heißt:

Wer für Kühe, für Brahmanen, für seine Stadt, für sein Weib oder für seinen Herrn sein Leben läßt, dem gehören die ewigen Welten.«

So kam er zu einem festen Entschluß, und er sagte: »Nicht eher, mein Liebchen, will ich wieder Speise zu mir nehmen noch mit dir kosen, als bis ich alle Feinde vernichtet habe. Doch mußt du deinem Vater sagen, daß er bei Morgengrauen mit möglichst großer Heeresmacht vor die Stadt hinauszieht in den Kampf. Ich werde am Himmel dahinschweben und alle seine Gegner ihrer Kraft berauben; dann kann er sie mit Leichtigkeit vertilgen. Denn wenn ich selbst sie töten wollte, so würden alle diese Übeltäter in meinen Himmel kommen. Darum soll er ihnen so zusetzen, daß sie davonlaufen und deshalb nicht in den Himmel gelangen.« Als die Prinzessin das vernommen hatte, ging sie selbst und teilte ihrem Vater alles mit; und der König folgte ihrer Weisung und rückte in der Morgendämmerung aus zur Schlacht. Der Weber aber, zum Sterben entschlossen, nahm einen Bogen in die Hand und schwebte in der Luft dahin, dem Kampf entgegen.

Da gedachte der heilige Wischnu, dem Vergangenheit, Zukunft und Gegenwart bekannt sind, seines Garuda, und auf sein bloßes Gedenken hin erschien der Adler vor ihm. Wischnu hatte natürlich den Weber in seiner Verkleidung erkannt und sagte zu Garuda: »Weißt du's schon, Adler? Ein Weber reitet in meiner Gestalt auf deinem hölzernen Ebenbild zu einem Königstöchterlein, mit ihm der Liebe zu pflegen.« Der Vogel erwiderte: »Sein ganzes Treiben ist mir bekannt, o Gott. Was gedenkst du jetzt zu tun?« – »Der Weber« – entgegnete der Gott – »ist fest entschlossen zu sterben und zu fasten und ist hinausgeflogen, des Kampfes gewärtig. Er steht einer Menge der edelsten und bewährtesten Krieger gegenüber; da duldet's keinen Zweifel, daß er pfeilgetroffen sterben muß. Ist er aber tot, so werden die Menschen sagen: ›Viele edle Krieger haben mit vereinten Kräften Wischnu und Garuda erlegt.‹ Dann aber ist's für immer aus mit der Verehrung, welche die Menschen uns bisher gezollt haben. Darum eile den Feinden entgegen und fahre in den hölzernen Garuda, und ich will in den Leib des Webers fahren, damit er seine Feinde zu vernichten vermag. Durch die Vernichtung seiner Gegner kann ja unser beider eigenes Ansehen nur gewinnen.«

Garuda gehorchte seinem Herrn und tat, wie ihm geheißen,

und der heilige Wischnu fuhr in des Webers Leib. Im gleichen Augenblick wurden alle jene edlen Krieger durch Wischnus und Garudas Glut versengt und von dem König getötet.
Und nun konnte der Weber vor aller Augen mit der Königstochter kosen, sooft und wie es ihm beliebte.

Rākschasa, Dieb und Affe

In einer Stadt herrschte einst ein König Bhadrasēna; der hatte eine mit allen glückverheißenden Körperzeichen geschmückte Tochter namens Ratnāwalī, welche ein Rākschasa, ein Dämon, entführen wollte. Nacht für Nacht kam er zu ihr und genoß sie; da sie aber von einer Leibwache umgeben war, so vermochte er sie nicht zu rauben. Wenn der Rākschasa ihre Liebe genoß, so geriet sie infolge seiner Nähe stets in einen Zustand, in welchem Zittern, Fieber und andere dergleichen Erscheinungen sie befielen. Das ging eine Zeitlang so fort, bis sich einst der Rākschasa, in einem Winkel des Hauses stehend, der Königstochter zeigte. Da sagte sie zu einer ihrer Freundinnen: »Sieh, Freundin, das ist der Rākschasa, der zur Dämmerungszeit immer kommt und mich peinigt. Weißt du kein Mittel, den Bösewicht fernzuhalten?«

Als das der Rākschasa hörte, dachte er: »Aha! Da kommt also außer mir immer noch ein anderer, der Dämmerung heißt, um sie zu entführen. Aber auch ihm gelingt es nicht. Ich will mich doch einmal in ein Pferd verwandeln und als Unbeteiligter beobachten, wie der Bursche aussieht und welche Macht er besitzt.«

Das tat er denn auch. In derselben Nacht aber kam ein Pferdedieb in den Königspalast. Er betrachtete sich prüfend alle Rosse, und da er sah, daß dasjenige, in welchem der Rākschasa steckte, schöner war als alle anderen, so zäumte er es und schwang sich auf seinen Rücken. Während das geschah, dachte der Rākschasa: »Das ist dieser Dämmerung. Er weiß, was für ein schlechter Kerl ich bin, und in seinem Zorne ist er gekommen, mich umzubringen. Was soll ich jetzt anfangen?« Während er noch dem nachsann, versetzte ihm der Roßdieb einen Hieb mit der Peitsche, und der Rākschasa, dem das Herz vor lauter Angst zitterte, begann zu laufen.

Als der Roßdieb eine weite Strecke davongeritten war, zog er den Zaum an und wollte das Pferd zum Stehen bringen. Wäre es nun ein Pferd gewesen, so hätte es dem Zaum gehorcht; dieses Pferd aber lief nur immer schneller und schneller. Als der Dieb merkte, daß es das Anziehen des Zaumes gar nicht beachtete, dachte er: »Das ist nicht Pferdeart! Das muß ein Rākschasa sein, der Roßgestalt angenommen hat. Sobald ich wei-

chen Boden unter mir sehe, werde ich abspringen. Anders kann ich mein Leben nicht retten.«
Während der Roßdieb diesen Plan aussann und an seine Schutzgottheit dachte, lief der roßgestaltige Rākschasa unter einem Feigenbaum dahin. Da ergriff der Dieb eine Luftwurzel und blieb daran hängen. Als sie einander los waren, faßten sie alle beide wieder Lebenshoffnung, und beiden schwoll die Brust vor übermächtiger Freude. Auf dem Feigenbaum aber saß ein Affe, ein Freund des Rākschasa. Als dieser sah, wie der Rākschasa davonlief, rief er ihm nach: »Heda! Was ist denn das für eine Albernheit, daß du ausreißt! Der Mensch ist doch dazu da, daß du ihn frißt. So friß ihn doch!« Als der Rākschasa das hörte, nahm er seine wahre Gestalt an und kehrte um; doch bebte noch die Furcht in seinem Herzen, und sein Gang war unsicher. Der Dieb war wütend darüber, daß der Affe jenen zurückgerufen hatte, und da sein Schwanz gerade auf ihn herabhing, so steckte er ihn in seinen Mund und begann aus Leibeskräften daran zu kauen.
Da kam auch der Affe auf den Gedanken, der Dieb müsse dem Rākschasa überlegen sein, und schwieg in seiner Angst ganz still; nur die Augen kniff er vor Schmerz zusammen und biß die Zähne aufeinander. Als der Rākschasa ihn so dasitzen sah, rief er ihm die Strophe zu:

Nach deinem Gesichtsausdruck zu schließen, Affe, bist du von Dämmerung gepackt; wer sich davonmacht, bleibt am Leben.

Die dankbaren Tiere und der undankbare Mensch

In einem Orte wohnte ein Brahmane, welcher Jadschnadatta hieß. Unter dem Drucke der Armut, in welchem seine Frau mit ihm lebte, sagte sie Tag für Tag zu ihm: »Du lässiger, hartherziger Brahmane! Du siehst wohl gar nicht, wie unsere Kinder Hunger leiden, da du so sorglos dahinlebst? Mach dich doch einmal auf den Weg, wenn's auch nicht weit ist, such dir, so gut du kannst, ein Mittel, uns Brot zu schaffen, und wenn dir's gelungen ist, dann komm so bald als möglich wieder.« Schließlich ward der Brahmane ihrer Reden überdrüssig und machte sich zu einer weiten Wanderung auf.
Nach einigen Tagen kam er in einen großen Wald. Während er ihn durchwanderte und ganz schwach vor Hunger war, machte er sich auf die Suche nach Wasser. Da sah er an einer Stelle desselben eine tiefe, von Gräsern umwucherte Zisterne. Als er hinabschaute, erblickte er in ihr einen Tiger, einen Affen, eine Schlange und einen Menschen, und die vier gewahrten ihn gleichfalls. Der Tiger sah, daß er es mit einem Menschen zu tun hatte, und deswegen sagte er zu ihm: »Vernimm, edler Mann! Du weißt, was für ein gutes Werk die Rettung eines Lebewesens ist. Drum zieh mich heraus, damit ich wieder mit meinen Lieben, mit meinen Freunden, meinem Weib, meinen Kindern und sonstigen Angehörigen vereinigt werde.« Der Brahmane erwiderte: »Alles, was Leben hat, gerät in Entsetzen, wenn es nur deinen Namen hört; da fürchte natürlich auch ich mich vor dir.« Der Tiger aber redete weiter:

»Für den Brahmanenmörder, den Branntweintrinker, den Feigling, den Treubrüchigen und den Betrüger haben die Guten eine Sühne festgesetzt; für den Undankbaren aber gibt's keine Sühne.«

Und er fuhr fort: »Durch dreimaligen Eid will ich mich verfluchen; von mir soll dir keine Gefahr drohen. Sei also barmherzig und zieh mich heraus.« Da überlegte der Brahmane in seinem Herzen: »Wenn man sich Unheil zuzieht, indem man einem Lebewesen das Leben rettet, so erblüht aus diesem Unheil dennoch Heil.« So dachte er und befreite den Tiger. Darauf sagte der Affe gleichfalls zu ihm: »Rette auch mich, du

Guter!« Als das der Brahmane hörte, rettete er ihn ebenfalls. Nun sagte die Schlange: »Errette auch mich, Brahmane!« Als der Brahmane das vernahm, entgegnete er: »Auch dein bloßer Name erregt Entsetzen, um wieviel mehr deine Berührung!« Die Schlange antwortete: »Wir handeln nicht aus freiem Antrieb; wir beißen nicht, wenn wir nicht dazu aufgefordert werden. Ich verfluche mich durch dreimaligen Eid: du brauchst dich vor mir nicht zu fürchten.« Im Vertrauen auf diese Worte rettete der Brahmane auch die Schlange. Darauf sagten die drei Tiere zu ihm: »Es ist noch ein Mensch in der Zisterne; der ist aber eine Stätte aller Sünden. Das bedenke, und rette ihn darum nicht; und laß dich nicht verleiten, ihm zu trauen.« Sodann sprach der Tiger: »Siehst du dort den Berg mit den vielen Gipfeln? In seinem nördlichen Teil, im Dickicht einer Schlucht, liegt meine Höhle. Tu mir die Ehre an, mich dort einmal zu besuchen, damit ich dir einen Gegendienst erweisen kann und die Schuld, in der ich bei dir stehe, nicht in ein künftiges Dasein mit hinübernehme.« So sagte er und ging in der Richtung auf seine Höhle von dannen. Dann sprach der Affe: »In derselben Gegend, in der Nähe der Höhle bei einem Wasserfall befindet sich meine Wohnung. Dort mußt du auch mich einmal aufsuchen.« Mit diesen Worten entfernte er sich. Die Schlange aber sprach: »Solltest du einmal in Not geraten, so denke nur an mich!« Sprach's und ging nach dem Ort, von dem sie gekommen.

Nun rief der Mann in der Zisterne unaufhörlich: »Rette mich doch auch, Brahmane!« Da erbarmte sich dieser, und da er erwog, daß der Mann ja zu seiner eigenen Gattung gehörte, so befreite er auch ihn. Darauf sagte der Gerettete: »Ich bin ein Goldschmied und wohne in Bhrigukatschtschha. Wenn du einmal irgendwelches Gold bearbeiten lassen willst, so brauchst du mir's nur zu bringen.« Sprach's und ging gleichfalls nach dem Ort, von dem er gekommen war.

Der Brahmane durchstreifte weiterhin das Land, ohne irgend etwas zu finden. Da machte er sich auf den Heimweg, und während er dahinschritt, fiel ihm ein, was der Affe zu ihm gesagt hatte. Er machte sich also zu ihm auf und traf ihn auch an. Der Affe setzte ihm Obst vor, süß wie Amrita, und erquickte ihn damit. Dann sagte er: »Komm nur immer zu mir, wenn du Früchte brauchst.« Der Brahmane erwiderte: »Du hast alles getan. Aber weise mich jetzt zum Tiger!« Da führte ihn der Affe und zeigte ihm den Tiger. Der Tiger erkannte ihn, und da er ihm seine Wohltat vergelten wollte, gab er ihm eine künstlich gearbeitete Halskette und anderes Geschmeide und sagte zu ihm: »Ein Königssohn, mit dem sein Roß durchging, fiel mir mutterseelenallein in die Klauen. Da hab' ich ihn getötet. All das gehörte ihm; ich hab's für dich gar sorglich aufbewahrt. Nimm es entgegen und geh, wohin es dir beliebt!«

Der Brahmane nahm das Geschmeide, erinnerte sich des Goldschmieds und dachte: »Er wird mir helfen und wird's für mich verkaufen lassen.« Mit diesem Gedanken begab er sich zu ihm. Der Goldschmied nahm ihn auch höflich auf, brachte ihm Fußwasser und Reis, bot ihm einen Sitz, Speise und Trank und was der gastlichen Ehren mehr sind und sagte zu ihm: »Befehlet, Herr! Was kann ich für Euch tun?« Der Brahmane erwiderte: »Ich bringe dir goldenes Geschmeide; das sollst du für mich verkaufen.« Der Goldschmied sprach: »Laßt mich's einmal sehen!« Der Brahmane zeigte es ihm. Als es der Goldschmied aber ansah, dachte er: »Das hab' ich doch selbst gearbeitet, und zwar für den Sohn des Königs!« Und indem er dies in seinem Herzen überlegte, sagte er: »Bleibt einstweilen hier; ich will's jemandem zeigen.« So sprach er, begab sich ins Königsschloß und zeigte es dem König. Der König sah es und fragte ihn: »Wie bist du dazu gekommen?« Der andere entgegnete: »In meinem Hause befindet sich ein Brahmane; der hat mir's gebracht.« Da dachte der König. »Der Halunke hat gewiß meinen Sohn ermordet. Ich will ihm schon zeigen, wozu das führt!« Und sogleich befahl er seinen Schergen: »Fesselt den verworfenen Brahmanen, und sobald die Nacht vorüber ist, auf den Pfahl mit ihm!«

Als sie ihn nun in Banden gelegt hatten, gedachte er der Schlange, und kaum hatte er an sie gedacht, so war sie schon bei ihm und sprach: »Womit kann ich dir dienen?« Der Brahmane bat: »Befreie mich aus meinen Banden!« Die Schlange sagte: »Ich will des Königs Lieblingsgemahlin beißen und will sie nicht vom Gift befreien, auch wenn der mächtigste Beschwörer sie mit seinen Zaubersprüchen bespricht und andere Ärzte sie mit giftzerstörenden Mitteln bestreichen. Wenn du sie aber nur mit deiner Hand berührst, soll das Gift aus ihr weichen. Dann wirst du deiner Fesseln ledig werden.« Und die Schlange hielt ihr Versprechen und biß die Königin. Da erhub sich im Palast ein großes Wehgeschrei, und in der ganzen Stadt herrschte die größte Bestürzung. Alle Giftdoktoren, Gelehrte, die im Besitze von Zaubersprüchen und Geheimnissen waren, und Ärzte, selbst aus fremden Ländern, wurden zusammengerufen, und alle behandelten die Königin nach bestem Können; aber keiner von ihnen vermochte sie durch seine Behandlung vom Gift zu befreien. Da ließ der König den Trommler in der Stadt umhergehen. Als der Brahmane ihn hörte, sagte er: »Ich will der Königin das Gift entziehen.« Er hatte kaum ausgeredet, so waren ihm auch schon die Fesseln abgenommen; er ward ins Schloß gebracht und dem König vorgeführt. Darauf sagte der Fürst: »Befreie die Königin vom Gift!« Und der Brahmane begab sich zu ihr und berührte sie nur mit der Hand: da war sie schon vom Gift befreit.

Als der König sah, daß seine Gemahlin zu neuem Leben erweckt war, huldigte er dem Brahmanen, behandelte ihn mit der größten Hochachtung und sagte ehrerbietig zu ihm: »Teilt mir der Wahrheit gemäß mit, wie Ihr in den Besitz dieses Goldschmucks gekommen seid!« Da berichtete ihm der Brahmane von Anfang bis zu Ende sein ganzes Erlebnis. So erfuhr der König den Sachverhalt, bestrafte den Goldschmied, belehnte den Brahmanen mit tausend Dörfern und machte ihn zu seinem Kanzler. Darauf ließ der Brahmane seine ganze Familie zu sich kommen und versammelte alle seine Freunde und Verwandten um sich. Mit ihnen vereint erquickte er sich nach Herzenslust an Speisen und anderen Genüssen, sammelte durch viele Opfer, die er veranstaltete, einen reichen Schatz guter Werke und lebte im Genusse der Herrschaft, da des ganzen Reichs Regierung in seinen Händen lag.

Der Sohn der Greisin

Hier in Indien liegt am Meeresufer die herrliche Stadt Suwischāla, ein Stück des Himmels gleichsam, welches durch ein gut gelungenes Spiel der Glücksgöttin auf die Erde versetzt ward. In dieser Stadt herrschte ein König Tschandra, welcher wie der Mond hell erstrahlte im leuchtenden Glanze seiner Tugenden.

Ein Mann, welchen dieser König hochschätzte, war der Handelsherr Dschinadāsa, ein weiser Mann und treues Mitglied der Dschaina-Kirche. Seine Gemahlin Manōramā fand gleichfalls Wohlgefallen an der Lehre der Dschina und war ihrem Dienste eifrig ergeben.

Durch ihre in einem früheren Dasein vollbrachten Taten war ihnen lange ein Sohn versagt; schließlich aber ward ihnen doch einer in ihrem Alter geboren. Da wurden allerlei Festlichkeiten gefeiert; weil ihnen der Sprößling aber erst in ihrem Alter beschert worden war, so nannten ihn der Vater und alle anderen »den Sohn der Greisin«.

Mit der Zeit wuchs er heran, ward unterrichtet, und als er ein junger Mann war, wurde er von seinem Vater mit der Tochter eines andern Großkaufmanns vermählt. Als er, von Menschen umgeben, zu festlicher Lustbarkeit nach dem Walde hinausfuhr, hörte er einst auf der Straße in seinem Wagen, wie die Leute sagten: »Mit dieses jungen Mannes guten Werken sieht's übel aus! Er hat noch keinen Heller verdient und lebt, so groß er ist, noch immer von seines Vaters Vermögen wie ein Säugling von der Muttermilch.«

Als er das hörte, nahm er Abschied von Vater und Mutter, und an einem glückverheißenden Tage bestieg er als Oberhaupt eines Stabes von Kaufleuten ein Schiff und stach in See. Ein feindlicher Sturm jedoch trieb das Fahrzeug in einen gewaltigen Strudel, der durch ein Gebirge verursacht war, und trotz aller Anstrengungen gelang es den Seefahrern nicht, es daraus zu befreien. Da verließ der Sohn der Greisin mit den andern das Schiff; sie stiegen auf einen Berg, der ganz in der Nähe lag, und rasteten unter einem Edelmango.

Auf einem Aste des Mangos saß ein Papagei mit seinem Weibchen. Das Weibchen sagte zum Männchen: »Höre, Geliebter, meine Worte! Wie kannst du nur so gleichgültig bleiben beim

Anblick dieser unglücklichen Menschen! Hier bietet sich dir eine seltene Gelegenheit, anderen zu helfen. Denn:

Nur wenige opfern ihr eigenes Leben, um das der anderen zu retten. Nur das Salz brennt im Feuer, um anderer Schaden zu verhüten.

Laß dir doch von ihnen einen Brief geben und überbringe ihn so schnell als möglich dem König von Ceylon; dann wird noch alles gut werden.« Da flog der Papagei sogleich dem jungen Mann in den Schoß. Der Sohn der Greisin hatte alles gehört, was das Weibchen gesagt hatte. Er schrieb also einen Brief, welcher das Unglück meldete, das ihm zugestoßen war, und band ihn dem Papageien um den Hals; und der Vogel überbrachte das Schreiben geschwind dem König.
Als der König von seinem Inhalt Kenntnis genommen hatte, ließ er öffentlich unter Trommelwirbel verkünden: »Wer das Schiff aus dem Strudel befreit, der erhält 100 000 Dinare; und die Götter sind Zeugen dieses Versprechens.« Da berührte ein künstereicher Mann die Trommel. Er nahm einen Antilopenschwanz, der sechs Monate lang in Öl gelegen hatte, und begab sich dem Befehl des Königs gemäß dorthin, wo sich der Sohn der Greisin aufhielt. Da dieser nun der einzige von allen war, der Mut, und zwar großen Mut, besaß, so zeigte er ihm eine Höhle, die er aus einem Zauberbuch kannte. Dann gab er ihm eine Lampe, deren Docht in dem Antilopenschwanz bestand, und teilte ihm ehrfurchtsvoll das Verfahren, welches er beobachten mußte, genau so mit, wie es im Zauberbuch beschrieben war: »Ein herzhafter Mann muß beim Scheine dieser Lampe in die Höhle und schnell eine Strecke in ihr weitergehen. Er wird an einen herrlichen Park kommen, der mit Teichen und Tempeln geschmückt ist. In seiner Mitte steht ein herrlicher Tempel aus purem Golde. In ihm befindet sich ein Standbild des gesegneten Herrn des Anfangs dieses Weltalters. Vor dem muß er niederfallen und muß ihm huldigen. Dann muß er mit aller Gewalt eine gute Glocke läuten, welche am Osttore des Tempels hängt. Durch ihren Schall werden alle anderen Glocken und Musikinstrumente von selbst ertönen; denn sie werden von Gottheiten regiert. Wenn nun gewisse Vögel, die Bhāranda heißen und zu Zehnmillionen den Berg bewohnen, den Lärm von allen diesen Instrumenten hören, so fliegen sie erschreckt empor. Infolge des Sturmes, den ihr Flügelschlag her-

vorruft, wogt das Wasser augenblicklich gewaltig auf, und Schiffe, welche in dieses Gewässer getrieben worden sind, werden aus dem Strudel wieder hinausgetrieben. Auf diese Weise können Fahrzeuge im Meere wieder ins richtige Fahrwasser geleitet werden. – Ich habe dir, junger Mann, gesagt, was das Zauberbuch verkündet.«

Kaum hatte der Sohn der Greisin den Bericht des Mannes vernommen, so begab er sich in die Höhle und führte entschlossen alles richtig aus. Das Schiff kam aus dem Strudel heraus, und auf ihm gelangten alle die Leute zusammen mit dem Kenner des Zauberbuchs nach der Insel Ceylon, während sich der junge Mann noch in der Höhle befand. Der König fragte sie: »Wie kommt es, daß sich der Sohn der Greisin vor mir nicht sehen läßt?« Sie antworteten ihm, er befände sich noch in der Höhle. Da ward der König zornig, und zur Strafe dafür, daß sie ihn im Stiche gelassen hatten, ließ er sie ins Gefängnis werfen, wo sie schlimme Tage verlebten.

Inzwischen wusch der Sohn der Greisin seinen Leib und seine Kleider in einem Teich, holte Blumen aus dem Walde und verehrte in gläubiger Liebe der Dschina Rischabha. Eines Tages, als er ihm gerade wieder huldigte, trat eine Jungfrau in den Tempel. Sie sah den jungen Mann, und als sie nach Hause kam, war sie von seiner Schönheit ganz bezaubert. Sie gestand ihrer Mutter ihr Verlangen, und diese teilte es ihrem Vater mit. Als er es hörte, begab er sich in den Tempel der Dschina. Mit allen Ehren führte er jenen in sein Haus ein, ließ ihm ein Bad bereiten, bewirtete ihn, schenkte ihm neue Kleider, kurz, er bereitete ihm den trefflichsten Empfang.

Als sich eine Gelegenheit dazu bot, sagte das Mädchen zu dem Jüngling mit Bedeutung: »Wenn wir vermählt werden, du König aller Freier, so erbitte von deinem Schwiegervater im Augenblick der Trauung sein Erbbett; denn es wird von einer Gottheit regiert.« Der Vater, der ein königlicher Weiser, ein Widjādhara war, aber sagte zu ihm: »Höre, was ich dir sage, lieber Schwiegersohn! Ein Wahrsager hat mir einst gesagt: ›Wenn hierher ein Mann kommt, mutterseelenallein, von schöner Gestalt und hohem Mute, den Dschina im Tempel verehrt und die Glocke läutet und ›Sohn der Greisin‹ heißt, so wird er deiner Tochter Gemahl.‹ Was er mir damals gesagt hat, das hat sich heute an uns erfüllt. Aus diesem Grunde hab' ich dich hierher gebracht, edler Jüngling.« Der Sohn der Greisin nahm seinen Antrag an, und das Hochzeitsfest ward gefeiert. Im Augen-

blick der Trauung gab der Schwiegervater dem jungen Ehemann Gold und Edelsteine die schwere Menge. Letzterer bat ihn außerdem um das alle Wünsche gewährende Bett, und der König gewährte seine Bitte.
Nun bat der junge Mann den Widjādhara, ihn ziehen zu lassen. Dieser sagte zu ihm: »Mein Stammland befindet sich auf dem Waitādhja-Gebirge. Dort steht meine reichgefüllte Schatzkammer; hier hab' ich nur ganz wenig Gut. Denn ich habe mir hier dieses reizende Haus nur zu meinem Vergnügen gebaut. Darum lade ich dich ein, mich dort einmal zu besuchen, damit ich dir dort so viel Reichtum und Zauberwissen schenken kann, wie ich möchte.«
Der junge Mann versprach's, bestieg dann mit seiner Gemahlin das Bett, ohne sein Gold und seine Juwelen zu vergessen, und flog zum weiten Himmelsraum empor. In einem Augenblick war er im herrlichen Ceylon. Da freute sich der König, als er den Sohn der Greisin sah. Er ließ den Kaufleuten, die zu Schiffe zu ihm gekommen waren, das Gefängnis öffnen, und weil er seine helle Freude an den trefflichen Eigenschaften des jungen Mannes hatte, erließ er ihm den Einfuhrzoll. Nun mußte sein Gast ihm erzählen, wie er in die Höhle gegangen war und was er drinnen erlebt hatte, und er erzählte dem König sein ganzes Abenteuer. Da dachte der König: »Dieser Sohn der Greisin ist ein Glückskind.« Und darum vermählte er ihm seine Tochter Karpūramandscharī.
Zur Hochzeit gab es nun abermals ein großes Fest, und bei der Trauung erhielt er der Wertschätzung entsprechend, die ihm der König zollte, reiche Geschenke. Nachdem er eine Reihe von Tagen dort verweilt hatte, sagte er schließlich zu dem Fürsten: »Mit Eurer Erlaubnis möchte ich nun in meine Vaterstadt zurückkehren.«
So bestieg er denn mit seinen zwei Gemahlinnen das Wunderbett und fuhr mit ihm davon. Seine Kaufleute aber segelten mit dem befrachteten Schiff gleichfalls der Heimat zu. Am nächsten Tage teilte der Sohn der Greisin den Kaufleuten seine Absicht mit, nach dem Waitādhja zu fliegen. Er bestieg sein Zauberbett und fuhr auf ihm wie auf einem herrlichen Himmelswagen dorthin. Seines Schwiegervaters Familie nahm ihn mit allen Ehren auf, und viele Mädchen wurden ihm von den verschiedensten Widjādhara vermählt, und die Liebe der Väter zeigte sich in den reichen Hochzeitsgaben, die in Edelsteinen, Perlen und Gold bestanden. Auch allerlei Zaubersprüche verliehen sie

ihm nebst der Anweisung, wie er sie sich zu eigen machen sollte. Nachdem er alle diese herrlichen Dinge erhalten hatte, war er froh und sagte zu den Widjādhara: »Jetzt will ich in meine Heimat zurückkehren; gestattet, daß ich mich entferne!« Darauf bestieg er einen Himmelswagen und fuhr mit den Widjādhara davon, und blitzschnell ging die Reise, so daß er noch vor seinem Schiffe zu Hause eintraf.

In Begleitung der vielen Mädchen und mit gewaltigen Schätzen kehrte er in sein Vaterhaus zurück, seinen Eltern und allen, die ihm nahestanden, zur großen Freude. Dann entließ er die Widjādhara, welche ihn begleitet hatten.

Mit der Zeit traf auch sein Schiff wohlbehalten ein. In einzelnen Posten ließ er die Güter, mit denen es befrachtet war, in sein Haus schaffen. Und nun verlebte er seine Tage in Freuden und Wonnen.

Eines Tages kam in den Park seiner Vaterstadt ein Dschainalehrer, welcher übernatürliches Wissen besaß. Der Sohn der Greisin ging mit seinem Vater hinaus, ihm zu huldigen. Als sie seiner Predigt gelauscht hatten, fragte der Vater Dschinadāsa den Mönch: »Welche guten Werke, o Herr, hat der Sohn der Greisin in einem früheren Dasein vollbracht, daß er diese Widjādhara-Mädchen und diese reichen Schätze erlangt hat?«

Der Lehrer sagte: »Der Sohn der Greisin war einst ein Diener in deinem Hause. Da erkranktest du eines Tages an deinem Leibe; und deine Entkräftung war so groß, daß du nicht einmal zum Gottesdienst mehr fähig warst. Das merkte dein Diener. Demütig legte er seine Hände zusammen und sagte zu dir: ›Wenn Ihr gestattet, lieber Herr, so will ich an Eurer Statt die Dschina verehren. Ich bin Euer Diener und leiste Euch alle Dienste. Befehlt mir nur, so verehre ich auch die Götter für Euch.‹ Du gabst ihm den Auftrag, und er verehrte die Dschina mit gläubiger Liebe. Deine Gemahlin aber tat ihm nun mit allem Bedacht Gutes, als wäre er ihr eigener Sohn gewesen. Mit der Zeit wurdest du wieder gesund und verehrtest die Götter wieder selbst; dafür aber siechte deines Dieners Leib von Tag zu Tag dahin. Du sagtest zu ihm: ›Mein Sohn, wie kommt es, daß dein Körper so abgenommen hat? An deinem Leibe nagt etwas, sei's Krankheit, sei's Sorge, oder was es sonst sein mag.‹ Er antwortete: ›Lieber Herr, an meinem Leibe nagt gar nichts, wohl aber an meinem Herzen, weil ich die Götter nicht mehr verehre. Darum empfinde ich die größte Unlust an meinem Leibe, o Herr.‹ Darauf sagtest du, o Kaufmann: ›Nun, so verehre doch die Götter für dich!‹ Und von da ab verehrte er beständig die Götter in schönem Gedenken. Später machtest du ihn in deinem Hause zu deinem Sohn; aber das Schicksal fügte es, daß er an der Kolik starb. Infolge seiner guten Werke wurde er nun als wirklicher Sohn in deinem Hause geboren.«

Als der Sohn der Greisin das gehört hatte, kam ihm plötzlich die Erinnerung an sein früheres Dasein. Er erkannte, daß der Lehrer die Frucht seiner Götterverehrung völlig richtig geschildert hatte. Nachdem er so alles als die Folge davon kennengelernt hatte, daß er in seinem vorigen Dasein die Dschina verehrt, ging er mit seinem Vater nach Hause.

Im Laufe der Zeit aber wurde der Sohn der Greisin zum König in dieser Stadt gemacht. Er tat gute Werke in vielfältiger Weise, vor allem verehrte er die Dschina. Nachdem er aber so infolge seiner Frömmigkeit das Königtum und all das andere Glück genossen hatte, nahm er schließlich bei dem Dschainalehrer die Mönchsweihe und gelangte auf den Pfad des Heils.

Sūra und die Hexen

In Indien, und zwar im Lande Awanti, liegt eine herrliche Stadt namens Dhārā. Dort lebte der reiche Sūra, der war gewaltig stark, willenskräftig und klug, reich an trefflichen Eigenschaften, freigebig, lebensfroh und frei von aller Furcht; seine Frau Tschaturā dagegen war dürr, hinterhältig und ungezügelt in ihrer Leidenschaft, und da sie außerdem zum Zorne neigte, so machte sie ihrem Mann durch bittere Reden das Leben schwer. Da dachte Sūra: »Was habe ich von dieser Frau? Auf eine Gemahlin von übler Sinnesart und auf hinderliches Wissen soll man verzichten.« So dachte er und hielt alle Tage gar eifrig Ausschau nach einer anderen in manchem Dorf und mancher Stadt. Nun wohnte in Awanti eine Alte, welche eine jungfräuliche Tochter besaß. Um diese warb er bei der Mutter, und die Mutter sagte sehr freundlich: »Meine Tochter Sundarī soll in dein Haus übersiedeln, wenn du mir gestattest, bei ihr zu wohnen.« Was tut ein Mann nicht, den die Liebe quält? Sūra war also damit einverstanden. Denn:

Am Tage sieht die Eule nicht, die Krähe nicht in der Nacht. Der Liebesblinde aber ist ein unerhörtes Wesen; denn er sieht weder in der Nacht noch am Tage.

Als die erste eine Ehegenossin erhalten hatte, keifte sie, daß es den andern übel in die Ohren klang. Sūra sah, daß der Zank nicht aufhörte; deshalb trennte er seine Frauen voneinander und brachte sie in verschiedenen Gebäuden unter. Aber da lief Tschaturā in Sundarīs Haus und beschimpfte sie. Beide waren rasend vor Leidenschaft und im Herzen voller Eifersucht gegeneinander, und von dieser Leidenschaft besessen fochten sie miteinander, Zahn gegen Zahn, Fuß gegen Fuß, Faust gegen Faust, Arm gegen Arm, Kopf gegen Kopf und Kralle gegen Kralle. Liebesglück und Streit bringt ja nur die Eifersucht, die alle Frauen beständig in ihrem Herzen hegen. Denn:

Von Ehegenossinnen ist der Zank so unzertrennlich wie vom Monde die Kühle, von der Sonne die Hitze, vom Wasser das Abwärtsgleiten, von der Blume der Duft und vom Sesam das Öl. Der Besitz zweier Frauen bringt Unheil; denn sie lassen sich

nicht halten durch die Furcht vor ihrem Manne, streiten miteinander je länger, je schlimmer, und ihre Stimmen schallen durchs halbe Dorf.
Der Mann, der von zwei Frauen beherrscht wird, muß hungrig das Haus verlassen, wenn er ausgeht, erhält nicht einmal das Wasser reichlich und muß sich mit ungewaschenen Füßen schlafen legen.

Nun brachte Sūra seine Frau Sundarī nebst ihrer Mutter nach einer Stadt, welche Hindalōra hieß und 10 Gawjūta von seinem Wohnort entfernt lag, blieb aber selbst, ohne sich weitere Gedanken zu machen, in Tschaturās Hause, weil er sich von dem nicht trennen mochte, was ihm dort das Leben bot. Eines Tages sagte er vertraulich zu ihr: »Ich will Sundarī einmal besuchen.« Tschaturā dachte: »Laß ich ihn wohlbehalten ziehen, so bleibt er sicher dort, und ich bin meinen Mann los!« Doch war sie guten Mutes, gab ihm als Wegzehrung Pfannkuchen mit, in die sie ein schlimmes Pulver gemischt hatte, und entließ ihn. Böse Frauen sind ja aller Ränke voll. Denn:

Unwahrhaftigkeit, Voreiligkeit, Betrug, Dummheit, alles Maß übersteigende Habsucht, Unreinlichkeit und Unbarmherzigkeit: das sind die Fehler, welche den Weibern angeboren sind.

Halbwegs zwischen den beiden Städten floß der Fluß Tschintschinī. Als Sūra an diesen kam, reinigte er sich an ihm seine Hände, seine Füße und sein Gesicht und machte sich daran, seinen Mundvorrat zu verzehren. Das Pulver in den Pfannkuchen aber bewirkte, daß er zu einem Hunde ward und zu Tschaturā zurückkehren mußte. Diese band ihn mit festen Stricken und prügelte ihn lange Zeit. Schrecklich war des Hundes Aussehen. Endlich erlöste ihn die Unholdin, und da er von hundert Wunden bedeckt war, verband sie ihn mit Lappen. Ganz allmählich gesundete er.
Als ein Monat vergangen war, sagte er wieder: »Ich will Sundarī besuchen; mach mir die Wegzehrung zurecht!« Da gab sie ihm Grütze mit auf den Weg. Er kam wieder an den Fluß; doch als er sich gesetzt hatte, um zu essen, kam ein bezopfter Bharataka, das ist ein Mönch. Der hatte zweimal 24 Stunden gefastet und bat ihn um Speise. Sūra gab sie ihm. Als der Mönch sie aber verzehrt hatte, verwandelte er sich in einen Esel, und der Bharataka-Esel lief nach Tschaturās Hause, wie es vorher Sūra getan hatte. Sūra aber ging hinter ihm drein;

denn er wollte doch mit ansehen, was seine liebe Frau unweigerlich tun würde. Das Weib fesselte den Esel mit Stricken und folterte ihn mit Peitschenhieben. Der Esel schrie gewaltig im Banne des Entsetzens und krümmte sich, ganz gebrochen von den übermäßigen Schlägen. Bei jedem Hieb aber rief sie scheltend: »Willst du noch Sundarī besuchen, he?« Als sie dann merkte, daß der Esel dem Tode nahe war, erlöste sie ihn und erblickte — den Asketenfürsten. Er war ganz gebeugt von der Last, die ihm die Menge seiner Zöpfe verursachte, geschmückt mit einer großen Trommel und mit einer Handtrommel, hatte Augen, vor denen man sich entsetzen konnte, so sehr waren sie mit Asche »verziert«, und trug ein Messer. Seine ganze Bekleidung aber bestand in einem schmalen Zeugstreifen, der seine Blöße bedeckte.

Wie vom Blitz getroffen fiel ihm Tschaturā zu Füßen; denn sie hatte große Angst. Der Bezopfte sagte zu ihr: »Was du getan hast, gute Frau, ist ganz nach dem Sprichwort abgelaufen: ›Wer Grütze ißt, muß Schmach leiden.‹« Da gab sie ihm in gläubiger Demut Geld, was ihn völlig aussöhnte, und entließ ihn.

In ihrem Herzen aber dachte sie: »Mein Mann ist hinter meine Schliche gekommen. Jetzt will ich alle meine Listen aufbieten, um ihn zu ermorden. Denn wie könnte ich mit ihm glücklich leben, da seine Liebe nun einmal zerstört ist?«

Darauf badete sie sich, ging in den Hof, zog mit Kuhmist einen Zauberkreis, legte ein weißes Gewand an und brachte Weihrauch, Speisespenden und anderes, was sie brauchte. Sie opferte besten Guggala, das ist ein duftendes Harz, rote Kanawīra-Blüten mit Schmelzbutter, völlig gesammelten Geistes, indem sie grausige Opferrufe ausstieß. Als sie aber die letzte Opfergabe dargebracht hatte, erschien ihr der Schlangendämon Takschaka und sprach zu ihr: »Weshalb hast du mir gehuldigt, meine Gute? Ich bin dir gnädig: sprich einen Wunsch aus nach deinem Belieben!« Sie antwortete ihm: »Beiße meinen Gemahl, der nur in seine andere Frau verliebt ist.« Da sagte Takschaka: »Heute in einem halben Jahre soll er sterben!«

Darauf entließ Tschaturā die Schlange und kehrte ins Haus zurück, indem sie geruhig wartete. Sūra hatte indessen in einem Schuppen gesteckt und alles mit angesehen. Er dachte: »Der Frauen Bosheit übersteigt doch alle Begriffe! Sie hat mich geschändet und zum Hunde, den Bharataka aber zum Esel gemacht.«

Mit solchen Gedanken wanderte er ganz aufgeregt vor Angst nach der Stadt Hindalōra, und in die Lust, welcher er sich mit

Sundarī hingab, mischte sich beständige Furcht. Sundarī versuchte mit allen Mitteln, ihn zu erheitern, mit verführerischen Tänzen, mit Scherzen, mit gesellschaftlichen Künsten und dergleichen: vergeblich! Nichts vermochte ihm Freude zu machen. Da nahm die Schwiegermutter ihren Eidam beiseite und fragte ihn nach der Ursache seines Kummers. Er antwortete ihr: »Warum soll ich dir, Mutter, den Kummer erklären, den mir ein Weib verursacht; weshalb soll ein Unfähiger zwecklos einem schwachen Menschen sein Leid klagen? Da gäb's nur beiderseitige Tränen, wie zwischen einem Mutlosen und seiner Mutter.« Sie sagte: »Ich bin nicht schwach! Vertraue mir nur den Grund deines Grames an! Wenn man freilich nicht weiß, worin eine Krankheit besteht, so kann man sie auch nicht heilen.« Da sagte Sūra: »Nach Ablauf eines halben Jahres muß ich sterben, und der mich tötet, ist Takschaka. Mein Weib hat ihn sich dienstbar gemacht, und so muß er es tun, er mag wollen oder nicht.« Seine Schwiegermutter aber sprach: »Hab nur keine Angst! Ich will mit meiner Tochter schon tun, was dir frommt. Genieße nach Herzenslust, sei lustig und guter Dinge, und hege keine bösen Zweifel in deiner Seele.«

Doch sie vermochte den Speer nicht zu lockern, der in seiner Seele steckte; und da seine erste Frau ihn so schimpflich gemartert hatte, weilte er trotz des Zuspruchs, den seine Schwiegermutter ihm gespendet hatte, bei Sundarī in steter Todesangst.

Da malten eines Tages die Mutter und die Tochter sowohl an die Tür als an die Wand des Hauses zwei schöne Pfauen, so lebenswahr, daß man hätte glauben können, sie würden sich jeden Augenblick bewegen. Dann reinigten sie sich und verehrten die Pfauen, in tiefer Andacht ihrer gedenkend und ihnen opfernd. Als der festgesetzte Tag gekommen war, welcher der leibhaftigen Gestalt des Todesgottes glich, sagte Sūra in seiner Todesangst zu seiner Frau: »Heute mittag ist mir der Tod gewiß.« Sie entgegnete ihm: »Fasse nur Mut, Gebieter meines Lebens! Du sollst sehen, welche erstaunlichen Kräfte wir besitzen, die das Unheil von dir abwenden werden.« Darauf richtete sie das Haus durch Bestreichen des Fußbodens mit Kuhdung besonders schön her, stellte in die Mitte einen Sitz, und auf diesen setzte sich auf ihre Bitte der Geliebte ihrer Seele. Dann legten beide Frauen neugewaschene Gewänder an, nahmen unenthülste Reiskörner in die Hände und gingen zur Opferstelle: da erblickten sie auch schon eine schwarze Schlange. Augenblicklich warfen sie die Reiskörner, über die sie vorher

Zaubersprüche gesprochen hatten, auf die beiden Pfauen, und im Nu hatten diese die Schlange zerrissen, und jeder hielt eine Hälfte davon in seinem Schnabel. Dann schrien sie auf und flogen schnell in die Luft empor und davon. Sūra aber dachte staunend: »Wie wunderbar hat sich der Zauber bewährt!« Er badete, feierte ein großes Fest, gab sich nach Herzenslust mit seiner Geliebten dem Genusse hin, spendete den Dürftigen reiche Gaben und hielt sich für neugeboren.

Tschaturā erkundigte sich bei Leuten, welche aus Hindalōra kamen, was Sūra machte, und erhielt zur Antwort, daß er Gaben spendete. Da verwandelte sie sich in eine weiße Katze, ging, sich wie wahnsinnig gebärdend, nach Sundarīs Haus und schrie. Doch als Mutter und Tochter sie sahen, verwandelten sie sich in schwarze Katzen und begannen mit ihr einen erbitterten Kampf.

Wieder und wieder sprangen sie empor und fielen dann abwechselnd ohnmächtig zur Erde. Dabei schrien sie mit greulicher Stimme und ließen Krallen, Zähne und Haare. Da aber Tschaturā besonders zauberkundig war, so brachte sie dadurch die beiden anderen in Verwirrung. Die weiße Katze überwältigte die schwarzen und ging in deren Hof.

Sūra, der das alles mit angesehen hatte, war ganz entsetzt und fragte hastig: »Weshalb kämpft ihr beiden hier so heftig, und wer ist die weiße Katze? Sie war allein und hat doch euch, die ihr zu zweit wart, im Kampf entsetzlich verwundet. Wie kommt das? Wo ist sie hin, und weshalb ist sie eure Feindin?«

Sundarī antwortete: »Es ist deine Frau Tschaturā. Sie ist eine vollendete Hexe; ich aber und die Mutter sind es noch nicht lange, und zwar sind wir's dadurch geworden, daß wir Menschenfleisch gegessen haben. Sie haßt mich, weil ich ihre Mitgemahlin bin, und ist deshalb zu mir gekommen, um mich und die Mutter kraft ihrer Zaubermacht umzubringen. Denn nichts ist unerträglicher als die Eifersucht gegen den Ehemann.«

Als Sūra das hörte, fürchtete er sich und dachte: »Da bin ich unter einen Haufen Hexen geraten, der Trug in sich birgt.«

Nach Ablauf eines Monats kam Tschaturā abermals als weiße Katze, und nach einem Kampfe, der sich wie das erstemal abspielte, waren die beiden schwarzen Katzen völlig erschöpft. Die weiße entfernte sich, die schwarzen blieben da. Auf Sūras Frage nach der Ursache ihrer Niederlage antwortete Sundarī: »Herr, unsere Zauberspürche verleihen uns nur geringe Kräfte. Doch gäbe es ein kräftiges Mittel, das von dir abhinge — und du bist doch so barmherzig! Wenn du mich und die Mutter liebhast, so willige in meine Bitte.« Liebevoll antwortete Sūra: »Sprich nur deine Bitte aus!« Da sagte sie: »Sei so gut und sprich recht deutlich, wenn sie uns wieder bedrängt: ›Packe, Schwarze, die Weiße! Erbeiße sie, erbeiße sie sogleich!‹ Wenn du so rufst, so werden wir gestärkt und werden sie umbringen, da sie nur eine gegen zwei ist.«

Zum dritten Male kam die weiße Katze. Im Kampfe, welcher sich zwischen ihr und den beiden schwarzen entspann, unterlagen diese wiederum. Da rief Sūra: »Packe, packe und erbeiße sogleich, o Schwarze, die Weiße und töte sie!« Kaum hatte er das gesagt, so packten die beiden schwarzen, obwohl sie schon dem Tode nahe waren, die weiße Katze an der Kehle. Als aber Sūra merkte, daß die weiße dem sicheren Tod verfallen war, da dachte er in seinem Herzen: »Meine guten Werke tragen ihre Frucht. Die weiße stirbt jetzt infolge meiner Worte. Ich will doch wundershalber sehen, ob nicht vielleicht auch die beiden schwarzen infolge meines Zurufs sterben müssen. Drum will ich jetzt das Gegenteil sagen.« Darauf rief er und sprach die Worte mit aller Sorgfalt aus: »Die Weiße töte die Schwarze!« Und weil er seine Worte absichtlich doppelsinnig gewählt hatte, so machte die weiße Katze im Nu den beiden schwarzen den Garaus.

Als sich so die drei im heftigen gegenseitigen Kampfe umgebracht hatten, da kannte Sūras Jubel keine Grenzen: »Ich bin die Krankheit los, für die kein Kraut gewachsen zu sein schien!« Er verzichtete darauf, die drei zu bestatten. Die Furcht trieb ihn fort in seines Bruders Haus.

Sein Bruder war nicht daheim, da er sich nach einem anderen Ort begeben hatte. Er neigte sich vor seiner Schwägerin, und die liebevolle Aufnahme, die sie ihm bereitete, hielt ihn in ihrem Hause fest. Sie bediente ihren Schwager, der seine Frauen verloren hatte, bei Tag und bei Nacht.

Eines Tages salbte sie ihm ganz unbefangen sein Haupt mit Öl. Da trat ein Bauersmann herein, mit einem Leitseil in der Hand, und sagte zu ihr: Mein schöner Ochse Minta ist mir soeben verendet. Die Zeit der Aussaat vergeht; drum suche ich einen anderen.« Da streute sie ihrem Schwager blitzschnell Staub auf den Kopf, und augenblicklich verwandelte sich dieser in einen Büffel.

Der Ackersmann nahm ihn mit sich, und Sūra mußte ihm nun den Pflug ziehen, gar lange Zeit! Eines Tages aber riß das Loch aus, welches ihm in die Scheidewand der Nasenlöcher gebohrt worden war, und Sūra erhielt seine natürliche Gestalt wieder. In seinem Entsetzen lief er davon, so schnell er konnte, und der Bauer lief hinter ihm drein. Auf seiner Flucht traf er seinen Bruder, der desselben Weges daherkam. Sein Bruder sagte zu ihm: »Wo läufst du hin, Sūra? Du bist ja ganz mit Wunden bedeckt? Komm in meine Arme, Bruder; begleite mich in mein Haus! Da kannst du in aller Gemächlichkeit wohnen.« Aber Sūra rief: »Deine Frau ist eine Hexe! Mach, daß du fortkommst! Sie hat mich in einen Büffel verwandelt und hat mir damit gewaltige Martern verursacht. Darum mach, daß du fortkommst, Bruder; mich bringst du gewiß nicht wieder in dein Haus! Ich gehe in den Wald; denn die Frauen hier sind alle Teufelinnen.«

Mit diesen Worten eilte er weiter, bis er in einen großen Wald kam und zu Boden sank. Da erblickte er sechs wohlgenährte Männer, welche Graslasten schleppten, in dem sonst menschenleeren Walde. Er fragte sie höflich: »Ihr seid mit Edelsteinen, Perlen und Gold geschmückt und tragt doch Gras?« Sie antworteten ihm: »In diesem Walde wohnt eine Greisin, und das Alter lastet schwer auf ihr. Die läßt sich von uns täglich sechs Lasten und dazu Wasser holen. Dafür gibt sie uns Speise, soviel unser Herz begehrt, dazu Kleider und kostbares Geschmeide, obgleich sie nur in einer alten, gebrechlichen Bettstelle schläft. Sie ist eine wandelnde Wunschliane.« Sūra erkundigte sich weiter: »Was tut sie denn mit dem Gras und dem Wasser?« Die Leute erwiderten: »Wie käme es uns zu, danach zu forschen, und wie dir, o Wandersmann?« Da dachte er: »Das ist eine wunderliche Sache! Die will ich mir doch mit meinen eigenen Augen ansehen!«

Also nahm auch er ein Bündel auf seinen Kopf und folgte den Männern. Sie fragten ihn, wie er heiße, und er gab Ghrischta als seinen Namen an. Da sagten sie: »Er soll unser siebenter Bruder sein!« und nahmen ihn mit ins Haus. Dort legten sie ihre Lasten nieder, holten dann das Wasser, füllten damit ein Becken an und gingen lustig und guter Dinge mit Ghrischta zu der Alten.

Die Alte fragte: »Liebe Söhnlein! Wer ist denn dieser Siebente? Ein schwächliches Kerlchen!« Sie erwiderten: »Wir fanden ihn im Walde und haben ihn zu dir gebracht, Mütterlein!«

Da legte die Alte liebevoll Ghrischta beide Hände auf den Rükken und sprach zu ihm: »Es ist gut, mein lieber Sohn, daß du mir vor die Augen gekommen bist. Das Schicksal hat dich sehr mitgenommen; du bist jetzt ganz von Kräften. Nun bleib nur in meinem Hause, recht lange, solange dir's hier gefällt, und iß dich satt!«

Er antwortete: »Ich will gern bleiben, Mütterchen. Wer wäre auch zeitlebens unglücklich!« Dann aß er sich nach Herzenslust satt. Als er aber damit fertig war und ausruhte, dachte er: »Wohin geht das Gras und das Wasser, und woher kommt all der Reichtum? Ich will doch heut nacht einmal aufpassen; vielleicht erfahre ich, was den Leuten ihren Reichtum schafft.«

In der Nacht bekam er zum Schlafen ein Lager angewiesen, dessen Unterbett mit Daunen gestopft war. Doch blieb er wach, obgleich er sich's nicht merken ließ. Mitternacht war vorüber; da sagte die Alte mit vernehmlicher Stimme: »Schlaft ihr schon alle, oder ist noch jemand von euch munter?« Aber niemand muckste sich. Jetzt erhob sie sich aus ihrem gebrechlichen Bettgestell und schlich sich fort in den Hof. Dort ließ sie sich auf die Erde fallen, sprach einen bösen Zauberspruch und verwandelte sich durch ihn in eine Stute. Sie verzehrte all das Gras bis auf den letzten Halm und trank das Wasser bis zum letzten Tropfen: da ward sie zu einer schönen Frau und war mit allem erdenklichen Geschmeide geziert.

Schnell entfernte sie sich, und Sūra huschte hinter ihr drein. Sie ging in eine Höhle, in welcher sich hundert Hexenmeister und Hexen drängten. Die Hexen gingen ihr entgegen und umarmten sie wie eine Mutter. Darauf fielen sie ihr zu Füßen, führten sie auf einen herrlichen Sitz und huldigten ihr mit der allergrößten Ehrerbietung. Dann fragten sie: »Mutter! Weshalb hast du das zusammengebrachte Opfer nicht mitgebracht?« Sie schüttelte mit dem Kopf und sagte zu ihnen: »Seid nur nicht so aufgeregt, meine Töchterchen! Ich wollte die Männer schon schlachten und sie euch bringen. Da kam aber noch ein siebenter dürrer Mann dazu. Wartet nur noch vierzehn Tage! Bis dahin ist er auch fett.«

Nun ward sie mit Speisen und berauschenden Getränken bewirtet und nicht eher entlassen, als bis sie voll zufrieden war. Ghrischta aber sah alles mit an, furchtlos, da er hinter einer Säule verborgen war.

Die Hexe nahm wieder die Gestalt eines alten Weibes an. Eine Hexe nämlich erweckt das Vertrauen der Menschen, wo sie sie findet, und verzehrt sie dann.

Sorgenvoll dachte Ghrischta: »Da bin ich schon wieder in

Hexennot geraten! Ich mag mich wenden, wohin ich will: überall taucht eine Hexe auf!« Während er noch diesem Gedanken nachhing, ging die Sonne auf, und die Männer gingen alle zusammen, um Gras zu holen. Dabei erzählte ihnen Ghrischta von Anfang bis zu Ende das Abenteuer, welches er in der Nacht erlebt hatte. Sie entgegneten ihm: »Wir haben an der Mutter niemals etwas bemerkt, was auf Bosheit schließen ließe.« Er erwiderte: »Ich gehe; bleibt nur, wenn ihr so nach Wohlleben begierig seid!« Da wurden sie doch nachdenklich und sprachen: »Warte noch eine Nacht und zeige auch uns das Treiben der Alten, welches uns alle mit der Vernichtung bedroht.« Dann trugen sie ihre Graslasten ein, verrichteten alle ihre Obliegenheiten, legten sich, nachdem sie untereinander beraten hatten, nieder und taten so, als ob sie schliefen.

Es geschah nun alles wie in der vorigen Nacht. Als sie so mit eigenen Augen das Treiben der Alten gesehen hatten, gingen sie miteinander zu Rate über die Frage: »Was sollen wir jetzt anfangen?« Ghrischta sagte zu ihnen: »Wir müssen sie töten, während sie schläft.« Gesagt, getan! Zwei hielten sie an den Füßen, zwei an den Händen, einer am Kopfe. Die zwei übrigen aber prügelten sie mit Knütteln so lange, bis sie völlig zerfetzt war.

Nachdem sie die Alte umgebracht hatten, wanderten sie alle nach Osten zu. Sie gingen im Walde dahin, kamen ans Ufer des Flusses Schiprā und erblickten eine ebenso liebliche wie große Stadt, so herrlich, daß man sie mit dem Stirnzeichen der Dreiwelt hätte vergleichen können. In dieser Stadt konnte man allerlei Bäume sehen: edelste Mango-, Zitronen-, Apfelsinen-, Punnāga- und Kutadscha-Bäume, wundervolle Gärten mit Gruppen von Tamāla-Bäumen, Wein- und Hintāla-Palmen, Wasserbecken, Brunnen und Teiche, Klöster und Hospize und viele Stellen, die dem Himmel glichen. Die Stadtmauer funkelte in goldenem Glanze und war mit einer bunten Mauerkappe geziert, und ihre leuchtenden Tore waren mit Fahnen geschmückt. Der Markt war voll von ausgelegten Waren. Eine ganze Reihe von Palästen leuchtete mit ihren weißen Mauern, anzuschauen wie eine Reihe von Götterpalästen, und weithin strahlten über die Stadt die goldenen Spitzen der Dschina-Tempel.

Aber wohin die Wanderer auch blicken mochten: nirgends war ein lebendes Wesen zu sehen. Da begaben sie sich nach der Königsstraße. Auf dieser erblickten sie allerlei wilde Tiere und suchten darum schnell das Königsschloß auf. Sie fanden zunächst ein herrliches Gebäude mit hundert leuchtenden Türmen. Sie traten durch eine Tür ein, welche mit Schößlingen und Blättern geziert war, setzten dann aber ihre Füße vorsichtig auf den tiefblauen Fußboden auf, da dieser zunächst den Eindruck einer Wasserfläche machte.

Als sie weiterschritten, sahen sie plötzlich ein altes Weib vor sich sitzen. Die Nase war ihm abgeschnitten, von seinem ungeschlachten Körper aber strahlte eine Lichtfülle aus, welche alle Himmelsgegenden erfüllte. Die Alte neigte sich vor ihnen und begrüßte sie mit dem Segenswunsch: »Treffliche Gattinnen seien euch beschieden!« Und schon traten sieben liebliche Mädchen ein, warben um sie und boten ihnen reiche Schätze an.

Da trat Ghrischta vor und fragte die Alte hastig: »Wer sind diese Mädchen, Mutter, welche Göttinnen gleichen und doch in einer Stadt wohnen, die leer von Menschen ist?« Sie erwiderte: »Alle sieben, mein Sohn, sind Töchter von Weisen. Ich habe seinerzeit einen Wahrsager gefragt, wer ihnen zum Gatten bestimmt sei. Er gab mir die Auskunft, wenn sie alle sieben hier harren würden, würden sich ihre Gatten einfinden. Darum hab' ich sie hierhergebracht, und ihr seid gekommen, seid also die ihnen bestimmten Gatten. So vermählt euch denn mit ihnen und genießt mit ihnen die Wonnen, die ihr euch mit euren guten Werken gesammelt habt. Die herrlichen Gemächer dieses Palastes, die mit allerlei Räucherwerk durchduftet sind, die mit Daunenkissen belegten herzerfreuenden Ruhebetten, die Bildersäle, die mit luftigen Fenstern geziert sind, und diese sieben Rosse, deren Schnelligkeit mit der des Windes eifert, stehen zu eurer Verfügung. Auf ihnen könnt ihr ausreiten, wohin es euch beliebt; aber hütet euch, nach Osten zu reiten!«

Da die Gefährten den Lockungen der Liebe nicht zu widerstehen vermochten, vermählten sie sich mit den Mädchen und schwelgten mit ihnen in den Wonnen der Liebe in Lustgemächern. Bald ergötzten sie sich am Wasserspiel, bald am reizenden Blumenpflücken; dann wieder banden sie Schaukeln an die Äste der Tschampaka-Bäume und belustigten sich am Schaukelspiel. Dann aber überlegten sie miteinander und sagten: »Es ist uns verboten worden, uns im Osten zu vergnügen. Das muß einen gewichtigen Grund haben. Worin mag dieser Grund bestehen?« Denn das Verbotene lockt nun einmal die Menschen.

Und richtig! Eines frühen Morgens bestiegen sie ihre Rosse und ritten nach Osten. Als sie ein Stück geritten waren, sahen sie, daß vor ihnen der ganze Erdboden eine Meile breit mit Männerköpfen bedeckt war. Sie sagten zueinander: »Was ist das für eine seltsame Sache? So etwas hat noch niemand auf Erden gesehen oder gehört, und niemand getraute man sich's zu erzählen.« Da traf eines Rosses Huf einen der Schädel, und dieser lachte laut auf: »Haha! die Zeiten sind vorüber, da wir die Rosse und die Schönen in Ehren hielten!« Ghrischta faßte sich ein Herz und fragte den Schädel, der ihm offenbar zum Wohltäter werden sollte: »Wer sind diese Rosse und diese Frauen, und wie kommt es, daß die Erde hier mit Köpfen bedeckt ist?« Der Schädel antwortete: »Die Alte ohne Nase ist eine zauberkundige Schīkōtarī, die uns und alle die übrigen Männer durch die Rosse und die Weiber betört und umgebracht hat. Sie nährt sich von Fleisch und hat alle Bewohner der Stadt gefressen. Daher kommt es, daß die Erde hier eine Meile weit mit Köpfen verziert ist. Drum eilt und eilt, was ihr nur könnt, ehe sie es merkt!«

Da spornten sie ihre Rosse an und ritten aus Furcht vor ihr davon. Als sie zu Mittag nicht zurückgekehrt waren, kamen ihre Frauen zusammen und sagten zu der Alten: »Mutter, die Männer kommen nicht zurück!« Die Alte nahm eine Glocke und stieg auf den höchsten Turm ihres Palastes. Sie sah, wie die Rosse mit Windeseile davonjagten, und rief: »Zurück, ihr Rosse!« Und dabei schlug sie fest an die Glocke. Der Schall der Glocke bewirkte, daß die Rosse umkehrten. Die Reiter versuchten abzuspringen; aber das Weib hatte sie auf die Pferde gebannt, und so kamen sie von ihnen nicht los. Entsetzt sagten sie zueinander: »Um Gottes willen! Was wird uns jetzt geschehen!«

Als sie wieder im Palaste waren, schrie sie die Nasenlose wütend an: »Ei, ihr Halunken! So mein Vertrauen zu täuschen! Mich zu verlassen! Wo wolltet ihr hin?« Dann nahm die Unholdin einen Dolch in die Hand, packte Ghrischta bei den Haaren und warf ihn auf die Erde nieder. Sie trat ihm mit beiden Füßen aufs Herz und sagte zu ihm mit entsetzlicher Stimme: »Du hast dein Roß bestiegen und warst der Anstifter der Flucht; drum schlachte ich dich zuerst. Schick ein Stoßgebet zu deiner Schutzgottheit; und dann ist's aus mit dir.«

Doch obwohl sie das zu ihm sagte, wandelte Ghrischta keine Furcht an; er sagte zu ihr mit spöttischem Lachen: »Beantworte mir nur vorher noch eine Frage, du Nasenlose! Denn die Neugier sprengt mir fast das Herz. Wer war denn der Mutige, aller Helden Krone, der dir die Nase abgeschnitten hat?«

Im Nu war der Zorn der Nasenlosen verflogen. Ihre Augen füllten sich mit Freudentränen. Sie gab Ghrischta frei und sprach: »Vernimm, lieber Sohn, der du reinen Herzens bist:

Auf dem Erdenrund liegt eine Stadt namens Manōrama, welche dem Himmel gleicht. In ihr herrschte einst ein König Maniratha, und seine Hauptgemahlin hieß Manimālā. Sie gebar ihm sieben Söhne, welche die Vorzüge der Tapferkeit und der Klugheit in sich vereinigten. Da empfing sie eine achte Frucht, welche ihr die größten Beschwerden verursachte. Schließlich gebar sie ein Mädchen, nämlich mich. Fünf Ammen behüteten meine erste Kindheit. Dann übergab mich mein Vater einem Lehrer, und ich lernte alle Wissenschaften. Als ich zur Jungfrau herangewachsen war, hegte ich das sehnlichste Verlangen, die Zauberei zu erlernen. Und so lernte ich denn die Zauber, durch die man sich andere untertan macht, sie herbeizieht, sie peinigt, sie bannt, verfeindet und verblendet, die Geheimwissenschaften der Rākschasī und der Hexen, das Annehmen beliebiger Gestalten, das Töten und das Darbringen von Opfern, die Gewalt über Sonne und Mond, das Hinabsteigen in die Unterwelt durch die Höhle, die zu ihr führt, das Zauberwissen, kraft dessen man durch den Luftraum wandelt, die Verwendung von Opfern und Aneignung von Zaubern und die Kunst, die Toten wieder zu beleben.

Nun residiert auf dem Waitādhja-Gebirge Indra als König. Durch die Verwendung der guten Dienste Rambhās und der anderen Himmelsfrauen hat er seine Herrschaft gesichert. Mit Hilfe des Zauberwissens, das mir den Luftpfad gangbar machte, begab ich mich eines Tages nach dem Waitādhja, wo die Apsarasen, Rambhā und Tilōttamā an ihrer Spitze, Tanzspiele aufführten. Das tat ich öfters. Eines Tages fehlte Rambhā. Ich nahm ihre Gestalt an, trat an ihrer Stelle auf und erregte Indras Beifall in solchem Maße, daß er mir eine Gnade nach meinem Ermessen freistellte. Da nahm ich wieder meine eigene Gestalt an und bat ihn: ›Werde mein Gemahl!‹ Und das Schicksal zwang den Götterkönig, meine Bitte zu gewähren.

Von nun an begab ich mich tagtäglich auf den Waitādhja und belustigte mich in Indras Gesellschaft. Eines Tages aber bat mich ein Liebhaber, der mir angenehm war: ›Nimm mich doch einmal mit, Geliebte, damit ich deinen Tanz bewundern kann!‹ Ich wehrte zwar ab; aber er drang mit Bitten wieder und wieder in mich, bis ich ihn schließlich in einen Sittich verwandelte, in meinem Diadem verbarg und mitnahm. Dann ging ich auf

den Waitādhja und tanzte vor Indra mit aller Hingebung. Mitten im Takte griff ich mit der Hand auf meinen Kopf, weil mich der Papagei drückte. Weil ich nun den Takt gestört hatte, rief mir Indra zu, und das Tanzspiel ward abgebrochen.
Im Zorne darüber fluchte mir der Götterkönig und sprach: ›Geh auf die Erde hinab und verliere deine Nase, und laß dich nicht wieder hier oben blicken! Genieße nur die Frucht deiner Zerfahrenheit!‹
Da stürzte ich ihm zu Füßen und bat ihn demütiglich: ›Erbarmt Euch meiner, o Götterfürst! Wann wird der Fluch sein Ende erreichen? Wann wird mir Eure Gnade wieder leuchten?‹ Der Gott erwiderte: ›Wenn du Männerfleisch verzehrst und ein kühner Mann dich fragt, wer dir die Nase abgeschnitten hat, dann sei der Fluch von dir genommen.‹
An diesem Tage begann ich die Bewohner dieser Stadt zu verzehren und fraß sie alle auf, indem ich sie besonders durch diese schönen Frauen und durch diese Rosse betörte. So habe ich denn den mächtigen Hügel von Schädeln zustande gebracht, der eine Meile weit reicht, und niemand außer dir, mein Sohn, hat die erlösende Frage an mich gerichtet. Infolge deiner Frage ist mir eine neue Nase gewachsen, bester Mann! Jetzt bin ich befreit von Indras Fluch: recht langer Sieg sei dir beschieden! Hier, mein Sohn, habt Ihr die herrliche Stadt, hier die schönen Frauen und die Rosse und den wundervollen Palast: herrschet nun Ihr an meiner Stelle!«
Darauf füllte sie durch ihr Zauberwissen, das den Toten ihr Leben zurückgab, die Stadt wieder mit ihren Bewohnern, setzte Ghrischta an ihrer Statt zum König ein, begab sich auf den Waitādhja und lebte weiter wie vordem.
In der Stadt Manōrama herrschte nun Ghrischta als kraftvoller Kaiser, dem alle Lande unterworfen waren. Seine sechs bisherigen Freunde aber erhob er zu seinen Vasallen.
Während er so sein Kaisertum genoß, kam einst der Förster, dem der Stadtpark unterstellt war, und meldete ihm, ein hervorragender Dschainamönch sei in den Wald gekommen, umgeben von einer Menge von Schülern. Da machte sich der Fürst mit seinem ganzen Gefolge auf, dem erhabenen Lehrer zu huldigen. Er nahte ihm, wie es die kirchliche Vorschrift erheischt, grüßte ihn und ließ sich vor ihm nieder.
Mit tiefer, feierlicher Stimme trug der Lehrer die Lehre der Dschina vor: »Nur die Menschen, welche die Gebote der Sittlichkeit völlig erfüllen, sind wahre Menschen; alle anderen

sind schlechte Menschen. Der Elende, dem es vergönnt ward, als Mensch geboren zu werden, und trotzdem keinen sittenreinen Wandel führt, der gleicht dem Manne, dem der Aufstieg auf den juwelenreichen Rōhana-Berg gelang und der den dort gefundenen Edelstein verschmäht, welcher aller Wünsche erfüllt.«

Als er seine Predigt beendet hatte, fragten ihn der Kaiser und seine Freunde: »Was waren wir für Leute in unserem vorigen Dasein, o Herr, daß wir in solche Bedrängnis durch Hexen geraten sind?«

Der Lehrer sagte: »Wenn es euch zu hören verlangt, so vernehmet, liebe Söhne! In der Stadt Pratischthāna lebte einst ein Brahmane Harisrama. Dieser setzte den Hexen durch Zaubersprüche und Diagramme hart zu. Wo er seinen Zauberkreis zog, befanden sich sechs Männer als Sänger. Eines Tages wurden sie von einem Mönch, der dem Pfad der wahren Glaubenslehre folgte, belehrt; und nachdem sie lange Zeit freudig diese Lehre befolgt hatten, starben sie schließlich fastend in frommer Betrachtung. Der Brahmane ward nach seinem Tode als Sūra wiedergeboren, die sechs andern wurden seine Vasallenfürsten. Ihre Taten in ihrem vorigen Dasein aber bewirkten es, daß sie in die Gewalt der Hexen kamen. Weil sie aber später nach den Geboten der wahren Glaubenslehre lebten und starben, deswegen wurdest du, Sūra, zu einem Fürsten dieser Erde. Denn die Wirkung der Taten, die im vorigen Dasein noch nicht aufgezehrt war, mußte noch aufgezehrt werden. Das Schicksal ist allmächtig.«

Nachdem sie so von ihrem früheren untadeligen Dasein gehört hatten, kam ihnen plötzlich die Erinnerung an dasselbe. Sie machten ihre Söhne an ihrer Statt zu Herrschern, beschritten den guten Pfad und gingen in den Himmel ein.

Der Bharataka als Ehestörer

Solange ein Ding gutgeht, findet jeder bei allen Unterstützung, doch wenn es schiefgeht, bei niemand, wie es dem Großkaufmann Dhana erging. Dies verhielt sich wie folgt:
Hier in Indien liegt die gesegnete Stadt Schrīpura, in welcher einst ein König Mahīpati herrschte. In derselben Stadt wohnte auch ein Großkaufmann Dhanada, der den gleichnamigen Gott durch seinen Reichtum übertraf, der angesehenste Mann der ganzen Stadt. Er hatte eine Gemahlin, welche Surūpā hieß, mit ihrer Schönheit alle überstrahlte und innigst von ihm geliebt wurde.
Eines Tages trat in dieses Handelsherren Haus ein Bharataka, welcher Dschhagataka, hieß, um zu betteln. Der Schiwaït, dem Surūpā selbst das Essen reichte, riß im Staunen über ihre ganz außergewöhnliche Schönheit seine Augen auf, so weit er konnte, und sah sie ungebührlich lange an. Darüber entrüstete sich der Kaufmann und rief ihm zu: »Du dummer Mensch; du elender, unverschämter Bettler! Was fällt dir ein, meine Frau so zu begaffen?« Jetzt war der andere entrüstet und sagte: »Da du, o Kaufmann, so eifersüchtig bist, daß du mich gleich beschimpfst, wenn ich von ohngefähr und ohne jede böse Absicht deine Frau ansehe, so werde ich nicht eher dein Haus verlassen, als bis ich deine Frau mitnehmen kann, und wäre es mit Gewalt!«
Nach diesen Worten setzte er sich im Hause des Kaufmanns nieder und begann zu fasten; und der Kaufmann mochte ihn mit häßlichen Schimpfworten schelten, soviel er wollte, er war in keiner Weise zum Aufstehen zu bewegen.
Viele Mahlzeiten hatte der Mönch schon vorübergehen lassen; da erzählte der Kaufmann seinem besten Freunde, ferner dem Polizeimeister, dem Kanzler und dem König die Geschichte von dem Bharataka, der seine Frau forderte. Alle sagten zu ihm: »Ihr dürft doch selbstverständlich Eure Frau nicht verschenken! Der dumme Mensch hat wohl irgendwo im Winde gelegen, daß er solchen Unsinn schwatzt!« Der Kaufherr erwiderte: »Wenn er sich nun aber zu Tode fastet, was dann?« Sein Freund wie die andern sagten: »Und wenn er jetzt auf der Stelle stirbt, so kann doch Euch nicht der geringste Vorwurf treffen. Den möchten wir sehen, der so mir nichts, dir nichts seine Frauen verschenkte, weil ihn einer darum anbettelt!«

Als das der Kaufmann hörte, ward ihm leichter ums Herz. Wie aber das Fasten gar kein Ende nahm, dachte er: »Ich bin doch neugierig, ob mein Freund und die andern mir auch nur mit einem Wort beistehen, wenn der Bursche stirbt. Das will ich doch erst einmal erproben. Denn:

Wer fürs Künftige sorgt, der gedeiht; nicht dagegen gedeiht, wer nicht fürs Künftige sorgt. Ich bin im Walde alt geworden; niemals aber sind Worte aus einer Höhle ausgegangen.«

Um sich also Gewißheit zu verschaffen, ging der Handelsherr zunächst zu seinem Freunde und sagte zu ihm: »Lieber Freund, der Bezopfte ist verhungert. Was soll ich jetzt anfangen? Komm mit! Wir wollen's dem Polizeimeister melden.« Sein Freund sagte: »Da hast du einen Fehler begangen, Kaufmann! Wie konntest du den Mann so sterben lassen! Warum hast du ihn nicht in irgendeiner Weise zum Aufstehen bewogen? Denn was da geschehen ist, das wird man dir zum schweren Vorwurf machen. Wenn's der König erfährt, so wird großes Unheil über dich kommen.« Der Kaufmann rief: »Ich hab's Euch doch vorhergesagt, daß er verhungern würde, und Ihr habt zuversichtlich gesagt: ›Stirbt er, so laß ihn doch sterben!‹ Gerade, weil Ihr das gesagt habt, hab' ich ihn nicht zum Aufstehen veranlaßt. Kommt also mit, damit ich alles dem Polizeimeister und anderen, die's angeht, auseinandersetzen kann. Sonst erfahren sie davon erst durch die Leute und bringen mich ins Unglück.« Der Freund dachte: »Er hat sich gegen das Gesetz vergangen, und ich habe ihn darin bestärkt. Die Folge wird auch für mich eine Geldstrafe oder noch Schlimmeres sein. Das beste ist, ich mache mich beizeiten aus dem Staube.« So dachte er und sprach: »Geh nur immer voraus, Kaufmann! Ich komme gleich nach.« Kaum aber war der Kaufmann weg, so flüchtete er.

Da dachte der Handelsherr: »Sieh da! Jetzt, da mir's übel ergeht, ist sogar mein Freund mir zum Feinde geworden.« Darauf begab er sich zum Polizeimeister und zum Kanzler und erzählte ihnen dieselbe Geschichte, und wie jener, so machten die beiden ihm heftige Vorwürfe. Danach ging er zum König und erzählte ihm die Geschichte. Aber auch der König sagte: »Höre, Kaufmann! Du bist der angesehenste Mann in meiner Stadt und hast niemals das Gesetz übertreten; und trotz des Ansehens, in dem du stehst, vergehst du dich in dieser Weise! Wer soll sich da noch ans Gesetz gebunden halten? Wahrscheinlich

aber hast du ihn selbst aus Habsucht in dein Haus gebracht und hast ihn ermordet; und wenn du jetzt vor mir herumschreist, so ist das eitel Heuchelei! Wie sollte denn auch jemand einem andern seine Frau abverlangen! Du und kein andrer also hast dich straffällig gemacht!« Dann rief er seinen Dienern zu: »Auf, auf, Soldaten, und fesselt mir auf der Stelle diesen elenden Krämer, diesen Verbrecher, der die Mönche ermordet! Beschlagnahmt sein gesamtes Vermögen und bringt es hierher!«
Da war der Kaufmann ganz zerknirscht und dachte: »Alle diese Leute haben vorher wie mein Freund gesprochen, und jetzt sagen sie das genaue Gegenteil. Denn sie sind nur auf ihren eigenen Vorteil bedacht und haben darum ihre Freude am Unglück eines andern. Alle Menschen sind eben eigennützig, unterstützen einen, solange es einem gutgeht, aber nicht, wenn man im Unglück ihrer Hilfe bedarf. Denn:

Die Menschen sind, so süß sie sich stellen, nur in ihren Worten Freunde und passen nicht zu Helfern bei Wirrnissen. Darum begehren die Klugen, unter den Menschen zu wohnen, um sich einen Lebensunterhalt zu gewinnen, den sie sich ohne Fremder Hilfe verschaffen können.«

Dann sagte der Kaufmann zum König: »Ach, Herr, habt noch einen Augenblick Geduld! Ich will erst noch einmal nach Hause gehen und ordentlich nachsehen; vielleicht ist er doch noch am Leben. Dann will ich ihm so viel Ehre erweisen, daß er aufsteht. Er atmete noch, als ich ihn verließ.«
Weil nun dem Kaufmann kein anderer Ausweg blieb, kehrte er nach Hause zurück, fiel dem schiwaïtischen Mönch zu Füßen, bat ihn mit höflichen Worten, sich zu erheben, und sagte zu ihm: »Nimm dir meine mit ihrem kostbarsten Geschmeide geschmückte Gemahlin und iß! Auch Geld und was du sonst begehrst, steht dir zur Verfügung.« Diese höflichen Worte erquickten des Schiwaïten Seele wie Amrita; er stand auf und sagte zu dem Handelsherrn: »Ich wüßte ja mit deiner Frau und deinem Gelde gar nichts anzufangen; denn ich führe einen keuschen Wandel, habe keine Wünsche und lebe von Bettelbrot. Nur deine Reden haben mich so verletzt, daß ich mich zum Fasten niedersetzen mußte.«
Darauf aß er und kehrte nach Hause zurück. Da war der Kaufmann froh, und auch der König und die anderen hatten ihre Freude an seiner großen Klugheit.

Der Bharataka als Betrüger und Lüstling

Nirgends soll man betrügen, wenn man klug ist und einem sein Wohl am Herzen liegt. Ist der Betrug ausgeführt, so gereicht er zum Schaden, wie es im Falle des Bharataka war, den es nach dem Mädchen gelüstete.

Am Ufer der Gangā liegt eine Stadt namens Bhīmapura, und oberhalb derselben eine andere namens Suwarnapura. In letzterer lebte einst ein Großkaufmann Sulōtschana, ein steinreicher Mann, welcher den schiwaïtischen Mönchen ergeben war, mit seiner Gemahlin Padminī. Während die beiden ihr Eheglück miteinander genossen, ward ihnen nach dem siebenten Sohne eine heißersehnte Tochter geboren, die den Namen Rukminī erhielt. Sie wuchs nach und nach heran, erlernte die vierundsechzig gesellschaftlichen Künste, die eine Dame beherrschen muß, und da sie außerdem mit allen Glückeszeichen ausgestattet war, so war sie ihrem Vater und ihren sonstigen Angehörigen über die Maßen lieb.

Stromaufwärts von Bhīmapura aber lag, eine Meile entfernt, ein Schiwaïtenkloster. In diesem wohnte ein Bezopfter namens Damanaka, ein Mann, welcher voll Ränke steckte bis obenan, von vielen Schülern umgeben; er befaßte sich mit Zeichendeuterei bei Ereignissen, die schon halb in Erfüllung gegangen oder deren Ausgang sonst unzweifelhaft war, und stand darum bei den Leuten in hohem Ansehen.

Eines Tages hatte ihn der Handelsherr Sulōtschana in sein Haus zum Mahle geladen, und der Mönch setzte sich, um die vorzügliche Küche seines Wirtes zu erproben. Vor ihm aber stand Rukminī, mit Arm- und Fußringen und anderem Geschmeide geschmückt, an welchem die Juwelen klingelten, und fächelte ihm eigenhändig mit einem kostbaren Fächer Kühlung zu. Ihre Jugend hatte ihr alle Reize des Körpers im Überfluß verliehen. Sie trug ein perlenbesetzes Mieder, ein niederwallendes Kleid von feinster Seide, und ihr Köpfchen war in einen bunten Schleier gehüllt. Der Bezopfte betrachtete aufmerksam die Jungfrau, an der jedes Glied in lieblicher Anmut prangte, ward von heftiger Liebe zu ihr gepackt, so daß er der würzigen Gerichte gar nicht achtete, und dachte: »Wenn es unter den Menschen Frauen von so hervorragender Schönheit gibt, was bleibt dann für den Himmel übrig? Das aber ist's doch, was man hauptsächlich durch die Kasteiung zu gewinnen begehrt:

Hab' ich nur dich, Geliebte mit den Rebhuhnaugen,
Was soll mir dann des Himmels Seligkeit?
Hab' ich dich nicht, Geliebte mit den Rebhuhnaugen,
Was soll mir dann des Himmels Seligkeit?

Wie sich die Göttlichkeit eines Wischnu und eines Schiwa, des Mondes und des Sonnengottes und all der übrigen Götter und das Mönchtum eines Wasischtha, eines Gautama und anderer gefeierter Asketen ganz gut mit dem Besitz von Frauen vertrug, so will auch ich mein Mönchtum mit ihrem Besitze vereinigen. Halte ich aber bei dem Kaufherrn um ihre Hand an, so weist er natürlich meine Werbung ab. Bekomme ich sie dagegen nicht, so muß ich mich mit ihrem Anblick begnügen. Also kann mich nur ein Schwindel zum Ziele führen. Ohne den ist ja freilich überhaupt nirgends etwas zu erreichen.« Und sogleich machte er sich daran, einen solchen Schwindel ins Werk zu setzen.
Ganz in Gedanken darüber vertieft, wie er sich die Jungfrau aneignen könnte, vergaß er Essen und Trinken und seufzte. Wie geistesabwesend saß er da. Der Kaufmann fragte ihn: »Weshalb seid Ihr plötzlich in so trübes Sinnen versunken und laßt das Essen stehen?« Seufzend erwiderte der Heuchler: »Wie könnte ich ans Essen denken, Kaufherr, wenn ich im Hause meines Gläubigen eine solche Tochter sehen muß, eine Tochter, welche so unheilkündende Körperzeichen an sich trägt und sicher ihre ganze Familie ins Verderben stürzt? Durch den Anblick dieser schlimmen Körperzeichen kommt mir jetzt meine Speise wie Gift vor. Ich denke, ich erhebe mich sogleich, um mich zu entfernen.« Da sagte der Kaufherr: »Mein geistlicher Vater! Seit ihrer Geburt hat auf unserem Hause in jeder Hinsicht der reichste Segen geruht. Ihr seid doch ein allwissender Mann; wie könnt Ihr solchen Widersinn künden!« Der Mönch entgegnete: »Der Segen ruht nur so lange auf deinem Hause, als sie sich nicht vermählt. Sobald sie aber das tut, wird sie deine Familie und die ihres Schwiegervaters ins Verderben stürzen.«
Da packte den törichten Kaufmann, der von jeher das vollste Vertrauen in seine Worte gesetzt hatte, gewaltige Angst, so daß er sagte: »Niemand außer Euch, der Ihr allwissend und unseres Hauses geistlicher Vater seid, vermag hier zu raten;

gebt mir die nötige Weisung und sagt mir, was ich tun soll!« Der Mönch erwiderte: »Was hab' ich mit derlei Gesprächen zu schaffen? Mein ganzer Reichtum besteht in meiner Kasteiung, und mein Wandel ist der Keuschheit geweiht.« Als ihm aber der Kaufmann zu Füßen fiel und ihn immer eindringlicher fragte, sprach er schließlich: »Ich will dir ein Mittel zur Abwehr künden; du wirst es aber nicht anwenden wollen.« Der Kaufmann erwiderte: »Wie könnt Ihr nur so etwas sagen! Wie wäre mir Eure Weisung nicht Befehl, da Ihr mir doch stets gewogen wart!« Nachdem er dem Mönch in dieser Weise ernstliche Vorwürfe gemacht hatte, sagte dieser: »Nun, Kaufherr, so vernimm denn das Mittel! Lege sie in der zweiten Hälfte der Nacht, die dem kommenden Neumondstag vorangeht, mit ihrem Geschmeide geschmückt, wohlgekleidet und den Leib mit Sandel-, Kampfer- und anderen köstlichen Salben gesalbt, in eine hölzerne Lade und setzte sie auf der Gangā aus. In deinem Hause aber laß ein Butteropfer darbringen. Wenn du das tust, so wird sie nur dem Hause eines anderen Unheil bringen, nicht aber deiner Familie.«

Nachdem er dann auf den von ihm verkündeten Tag alle Zurüstungen hatte treffen lassen, begab sich der Mönch in seine Klause und sagte zu seinen Schülern: »Am Neumondstage, liebe Schüler, werde ich mir einen Zauber aneignen. Dazu wird mir die Göttin Gangā, erfreut über meine Liebe zu ihr, am Morgen bei Sonnenaufgang eine mit Geschenken gefüllte Lade spenden. Spähet darum mit aufmerksamer Andacht auf der Gangā Flut hinaus, und wenn die Lade herangeschwommen kommt, so ziehet sie aus ihr ans Land. Ohne die Siegel zu verletzen, die sich daran befinden, sollt ihr mir sie dann in meine Klause bringen.« Diese und ähnliche Anweisungen gab er ihnen und ging dann in der Nacht, die den Neumondstag einleitete, in das Haus des Handelsherrn, um das Opfer und die Zeremonien vorzunehmen, die das Unheil bannen sollten. Seine Schüler standen indessen am Ufer der Gangā und harrten der Dinge, die da kommen sollten.

Da faßten sich der Kaufmann und seine sieben Söhne trotz des großen Wehs, das ihre Seelen zerriß, ein Herz und führten alles aus, wie es ihnen ihr Seelsorger vorgeschrieben hatte. Gegen Ende der Nacht ließ der Handelsherr die Lade in die Gangā setzen. Dann kehrte er mit den Seinen heim und gab sich seinem Kummer und seinen Klagen hin.

Als der Tag zu grauen begann, war die Lade bis in die Nähe

von Bhīmapura geschwommen, und die Diener des Fürsten dieser Stadt, des Königs Punjasāra, die an den Strom gegangen waren, um sich die Zähne zu reinigen, erblickten sie und trugen sie zu ihrem Herrn. Der König öffnete den Deckel, sah das schöne, reichgeschmückte Mädchen, war ob dieses Anblicks über die Maßen erstaunt und fragte seinen Kanzler, was das wohl zu bedeuten habe. Der Kanzler fragte die Jungfrau: »Wer und wessen Tochter bist du, und wie kommst du hierher?« Sie neigte verschämt ihr Köpfchen und sprach: »Ich bin die Tochter des Kaufherrn Sulōtschana, welcher in Suwarnapura wohnt. Mein Vater hat mich sehr lieb. Trotzdem hat er mich nach einer Beratung mit Damanaka, dem Seelsorger unseres Hauses, deren Inhalt ich nicht kenne, auf der Gangā ausgesetzt. Das ist alles, was ich weiß.« Der Kanzler, der ein kluger Mann war, durchschaute die ganze Geschichte und sagte dem König, was er darüber dachte. Da nahm der König die Jungfrau, ließ eine Äffin in die Lade stecken, diese Lade genauso versiegeln, wie sie vorher versiegelt gewesen war, und sie durch seine Beamten wieder in die Gangā setzen. Die Beamten aber mußten ihr unauffällig nachgehen.

Drauf kamen die Schüler des Bharataka, dem Befehle gemäß, den sie empfangen hatten, zogen die Lade heraus und trugen sie, versiegelt, wie sie war, in ihres Lehrers Klause. Als der Abend dämmerte, reinigte der Bezopfte seinen von übergroßen Wonnen erfüllten Leib, weil er es eilig hatte, sich mit dem Mädchen zu vereinigen, legte saubere Kleider und Schmuck an und sagte befehlend zu seinen Schülern: »Heute nacht werde ich in der Klause bleiben, um mir den Zauber anzueignen. Daran werden mich die Dämonen in jeder Weise zu hindern suchen. Entfernet euch also von der Klause und verharret weit davon in andächtigem Sinnen. Hütet euch aber, die Tür der Klause zu öffnen.« Nachdem er ihnen dies und anderes dergleichen eingeschärft hatte, ging er selbst in geiler Brunst hinein. Als er jedoch den Deckel der Lade öffnete, sprang die Äffin, vom langen Hungern gemartert und wütend darüber, daß sie eingesperrt worden war, heraus und zerfetzte dem Schiwaïten mit ihren Krallen die Ohren, die Nase und das ganze Gesicht. Obwohl er nun drinnen aus Leibeskräften schrie und seine Schüler rief, so waren diese doch so gut erzogen, daß sie nicht kamen, weil er ihnen das ja vorher ausdrücklich verboten hatte. Da machte er – was ihm nur mit großer Mühe gelang – die Tür selbst auf und stürzte hinaus. Des Königs Beamte nahmen ihn in Emp-

fang, fesselten ihn und führten ihn vor ihren Herrn, der ihn des Landes verwies.
Die Jungfrau jedoch, in welcher alle Vorzüge verkörpert waren, ward des Königs Hauptgemahlin. Infolge der Segensmacht, die in ihr wohnte, gedieh dem König sein Reich. Später besuchte sie ihren Vater, und nun herrschten Jubel und Freude in ihrer ganzen Familie.

Der Bharataka als Dachdecker

Einen erlittenen Unfall darf man nicht jedem beliebigen und in jeder Weise zeigen, wie das dereinst dem Bezopften übel bekam, der den Strick gezogen hatte.

Im Dorfe Wikata lebte einst ein Bharataka Sōmaka. Dieser hatte einmal, als die Regenzeit herannahte, seine Klause mit Stroh gedeckt und war, als er einen Strick darüber zog, kopfüber vom Dache gestürzt. Das tat ihm sehr weh, und sein Leib trug eine Anzahl Wunden davon. Da kamen die Leute herbei, um ihm seine Schmerzen durch ihren Zuspruch erträglicher zu machen. Sie fragten ihn: »Was ist denn geschehen? Wie ist denn das Unglück passiert?« Der Narr stand auf und zeigte es seinen Besuchern, indem er's ihnen vormachte: »So bin ich gestürzt, und so hab' ich mich verletzt.« Und bei jedem neuen Besuch, den er empfing[1], wiederholte er es, bis er schließlich vor Schmerzen gar nicht mehr aufzustehen vermochte. Als nun wieder Leute zu ihm kamen und dieselben Fragen an ihn richteten, rief er schließlich: »Ach, laßt's euch nunmehr von eurem Vater zeigen!« Da lachten ihn die Leute aus und gingen nach Hause.

1 der Text kann auch bedeuten: »Und vor jedem der Leute«.

Der Bharataka als ehrlicher Mann

Sooft sich Leute, welche ein Gelübde auf sich genommen haben, damit auf Grund ihrer eigenen Erfindungen abfinden, ziehen sie sich nur Demütigungen zu, wie der Bettelmönch, welcher sich das Zuckerrohr nahm.

Im Dorfe Mallānaka lebte ein Bezopfter namens Nissanga. Als der in seinen Lebensabend eingetreten war, empfand er das Bedürfnis, ehrlich zu werden, und eignete sich fortab fremdes Gut nur noch an, wenn es ihm geschenkt ward. Eines Tages erblickte er auf einem Gange außerhalb der Stadt irgendwo in einer umfriedigten Zuckerrohrpflanzung saftige Zuckerrohrstengel, und da er sich einige von ihnen zu nehmen gedachte, so bat er die Pflanzung selbst um die Erlaubnis, indem er sprach: »Höre, Pflanzung! Pflanzung! Darf ich mir drei oder vier Zuckerrohrstengel nehmen?« Darauf lieh er ihr seine eigene Stimme und antwortete: »Ei, so nimm dir doch fünf oder sechs!« Nachdem er sich auf solche Weise durch seine eigene Vermittlung die Erlaubnis verschafft hatte, nahm er sich fünf bis sechs Stengel und entfernte sich. Das tat er von nun an regelmäßig, bis der Besitzer etwas merkte und dachte: »Welcher Halunke schleppt mir aus meiner Pflanzung die Rohrstengel fort? Ich will mich doch heute einmal auf die Lauer legen.« So dachte er, versteckte sich und wartete. Als der Mönch nun kam und sein Treiben wiederholte, tauchte der Besitzer auf und rief ihn an. Da sagte der Bezopfte zu ihm: »Sei doch bitte nicht böse, sei nicht böse! Ich habe mir jedesmal erst die Erlaubnis dazu erwirkt, ehe ich mir die Stengel genommen habe.« Der Besitzer fragte ihn: »Wie hast du denn das gemacht?« Da schilderte ihm der Mönche sein Verfahren. Der Besitzer platzte beinahe vor Zorn. Er fesselte den Bezopften, so daß er sich nicht rühren konnte, schleppte ihn zum Brunnen und rief: »Brunnen, Brunnen, sprich, Väterchen! Soll ich ihn drei oder vier Taucherchen machen lassen?« – »Ei so laß ihn doch fünf bis sechs machen!« Sprach's und mißhandelte den armen Burschen nach Kräften, und als er ihn schließlich laufen ließ, gab er ihm die gute Lehre mit auf den Weg, künftig niemals wieder so etwas zu tun.

Der Bharataka auf dem Kuhhandel

Wer sich auf Handel und Wandel nicht versteht, kann auch nicht glänzen, sondern verfällt dem Spott der Leute, wie der Bezopfte, welcher den Bullen molk.

In dem Dorfe Susthita lebten viele Bharataka. Als sie einst auf einen Bettelgang ausgezogen waren, erhielten sie im Hause eines Bauern mit Butter und Zucker angemachten Milchreis. Sie aßen ihn, und er schmeckte ihnen vortrefflich. Da fragten die Bharataka ihre Gläubigen, wie man den Milchreis bereitete, und die Gläubigen teilten das Rezept mit. Die Bharataka kauften sich nun eine Kuh; es war aber ein schwaches Tier, das eben erst gekalbt hatte. Da sagten die anderen Bharataka zu den Käufern: »Warum habt ihr dummen Kerle denn so eine schwächliche Kuh gekauft? Noch dazu hat sie ein ganz kleines Euter. Da wird sie auch nur ganz wenig Milch geben. Wißt ihr was, vertauscht sie gegen eine fette Kuh mit großem Euter, und die bringt ihr dann her!«

Da taten sich fünf oder sechs Bezopfte zusammen und gingen in eine Rinderzüchterei. Sie sagten zum Besitzer derselben: »Nimm diese Kuh und gib uns dafür eine andere!« Der Besitzer sagte: »Sucht unter diesen eine aus, die euch gefällt, und nehmt sie mit!« Weil die Mönche aber sehr dumm waren, so sahen sie sich zwar überall um, ließen aber alle Kühe stehen, weil sie ihnen zu schwach waren; dafür nahmen sie einen fetten Bullen, den sie für eine Kuh hielten. Sie nahmen ihn mit nach Hause, und nun machten sich die Bezopften alle ans Melken; aber siehe da! Es floß kein Tröpfchen Milch. Mit um so größerem Eifer molken sie weiter. Dem Bullen wurde die Quälerei zu arg; er schlug aus und sprang in die Höhe.

Nun wußte keiner Rat; sie dachten: »Woher kommt's, daß die Milch nicht heraus will?« Da tat ein alter, ganz besonders gescheiter Zopfträger seinen Mund auf und sprach: »Ei, ihr Bharataka! Ihr erkennet die Ursache nicht!« Die anderen sagten: »Ei, was ist denn die Ursache?« So sagten sie und fielen ihm zu Füßen. Der Alte antwortete ihnen: »Die Kuh hat kein Loch im Euter; darum kann die Milch nicht heraus.« Die anderen riefen: »Natürlich! Er hat recht! Er hat recht!«

Darauf fesselten sie den Bullen mit den Zöpfen eines Bharatakas an den Vorderfüßen und mit denen eines andern an den

Hinterfüßen, und dann machte sich einer daran, in das, was er für das Euter hielt, mit einer Nadel ein Loch zu bohren. Da sprang der Bulle auf, machte einen Satz und lief davon. Den Bharataka waren die Zöpfe abgerissen, und mit lautem Geschrei kamen die Leute zusammengelaufen. Sie lachten und schalten die Mönche. Die Bharataka aber jammerten: »Unsre Kuh läuft weg! Unsre Kuh läuft weg!« und liefen hinterdrein. Vor ihren Augen aber lief der Bulle in den Wald.

Da traten alle die Bezopften zusammen und hielten Rat. »Das war keine gute Kuh«, sagten sie; »wir wollen uns eine neue kaufen.« So machte sich denn einer von ihnen, mit 500 Drachmen versehen, nach einem anderen Dorfe auf, um eine besonders gute Kuh zu kaufen, und schloß sich einer Karawane an. Unterwegs machten sie halt, als es Abend ward, und der Bharataka legte sich mit fünf oder sechs anderen Mitgliedern der Karawane in einem Tempel schlafen. Um Mitternacht, als die andern schlaftrunken dalagen, der Bharataka aber noch munter war, kam eine Räuberbande. Als die Räuber ihn sahen in seiner alten, zerschlissenen Kutte, dürr, struppig und trocken wie ein Gespenst, da sagten sie: »Was hat's für Zweck, den Mann zu plündern, der da liegt? Es ist irgendein Bettler. Wir wollen weitergehen!« Als der Bezopfte sie so reden hörte, rief er: »Ihr seid elende Bettler, und euer Vater ist ein Bettler. Ich bin reich! Ich habe 500 Drachmen.« Und indem er das sagte, zeigte er ihnen seinen Geldbeutel und klimperte mit dem Gelde. »Und wenn ihr's nicht glaubt, so fragt nur diese Kaufleute!«

Als die Räuber das hörten, kehrten sie wieder um und raubten zuerst ihn und dann alle andern aus. Da beschimpften und verfluchten diese den Bharataka; der kratzte sich den Kopf und ging nach Hause. – So darf man's nicht machen.

Der geschwänzte Bharataka

Wer selbst dumm und schläfrig ist und nicht über das nachdenkt, was ein anderer sagt, dem geht's übel, wie einst dem Bezopften, den die Kälte quälte.

Im Dorfe Kurada lebte einst ein Bharataka, der hieß Dharada, war dumm und hatte einen sehr verschlafenen Schüler. Einst im Winter, als strenge Kälte herrschte, verließ der Bharataka eines kleinen körperlichen Bedürfnisses wegen um Mitternacht seine Klause. Als er es verrichtet hatte, legte er sich infolge seiner großen Müdigkeit schlaftrunken an Ort und Stelle nieder in der Meinung, er befinde sich auf seinem Lager. In der letzten Nachtwache aber peinigte ihn der Frost dermaßen, daß er laut rief und seinen Schüler fragte: »Heda! Schüler! Lieg' ich denn auf meinem Lager und bin ich denn in meiner Klause, oder bin ich draußen?« Der Schüler war ebenso verschlafen wie er selbst. Als er darum diese Frage hörte, blieb er liegen und tastete nur mit der Hand die Lagerstätte seines Lehrers ab. Er bekam den Schwanz eines Hundes zu fassen, welcher sich daraufgelegt hatte, und rief: »Heda! Lehrer! Hast du einen Schwanz oder nicht?« Als der Lehrer das hörte, betastete er sich hinten, bekam das Ende seines Lendentuchs in die Hand und rief: »Jawohl! Einen Schwanz hab' ich!« Darauf rief der Schüler: »Dann bist du auch in der Klause und liegst auf deinem Lager.«

Weil der Lehrer sich nun in seiner Dummheit auf diese Auskunft verließ, blieb er liegen, und die Kälte setzte ihm dermaßen zu, daß er wie tot dalag. Am Morgen kamen Leute an die Stelle, und als sie ihn so daliegen sahen, fragten sie den Schüler: »Nanu! Was ist denn hier passiert?« Er antwortete: »Ich habe keine Ahnung!« Als aber die Sonnenstrahlen den Schiwaïten berührten, kam er wieder zur Besinnung und stand auf. Da wunderten sich die Leute.

Der Bharataka als Heilgehilfe

Heilmittel und dergleichen soll ein Kluger nicht durch Toren anwenden lassen, wie der Bezopfte seinen Lehrer durch Gift tötete, obwohl ihm der Arzt das Übergift gegeben hatte.

Im Dorfe Kōlaka wohnte ein alter Bharataka namens Dschūtaka. Der erkrankte einst am Fieber und hatte sehr zu leiden. Als die Krankheit aufs höchste gestiegen war, ging sein Schüler zu einem Arzte und bat ihn um ein Heilmittel. Dieser gab es ihm, schärfte ihm aber ein, dem Kranken wenig davon zu verabreichen, denn es sei ein Übergift. Auf dem Heimweg stellte der Schüler folgende Betrachtung an: »Der Arzt hat gesagt, es sei ein Übergift. Mein Lehrer aber ist äußerst geschwächt. Er wird also das Übergift vorläufig noch nicht vertragen. So will ich ihm denn zunächst ein Gift eingeben, und erst wenn er das verdaut hat, das Übergift.« Folglich ging er in ein Kräutergewölbe, holte sich dort ein Gift, löste es auf und gab's seinem Lehrer ein. Die Folge war, daß sein Lehrer schnell verstarb und daß die Leute den Schüler schalten. – So darf man's nicht machen.

Der Bharataka als Denker

Ein Narr sieht die Wahrheit nicht, so sehr er überlegen mag, wie einst der Bezopfte, als er seinen Kopf zwischen die Hörner des Bullen legte.

Im Dorfe Mangala lebte einst ein Bezopfter, der hieß Wohlbedacht. Eines Tages trat dieser Mann in ein Haus, um zu betteln. Da sah er in dem Hause einen feisten Bullen mit kreisförmig gebogenen Hörnern. Von diesem Augenblick an quälte ihn täglich der Gedanke: »Ob wohl mein Kopf zwischen dieses Bullen Hörner paßt? Vielleicht nicht!« Das ging sechs Monate lang so weiter. Endlich dachte er: »Heute stecke ich ihm meinen Kopf zwischen seine Hörner. Ich hab' mir's doch volle sechs Monate lang überlegt. Wenn man etwas nach so langer Überlegung unternimmt, so muß es doch gut ablaufen.« So dachte er und steckte seinen Kopf dazwischen. Der Bulle erschrak, zerriß seinen Strick, lief davon und rannte im Ort umher; der Bezopfte dagegen hing ihm vorne über den Kopf herunter und brüllte. Da liefen die Leute in Scharen herbei und befreiten ihn mit großer Mühe. Sie sagten zu ihm: »Du Narr! Wie kann man nur so unbedacht handeln?« – »Ihr seid Narren«, antwortete der Bharataka, »und ihr handelt unbedacht! Ich habe mir erst sechs Monate lang überlegt, was ich getan habe.« Da schalten ihn die Leute. – So darf ein Verständiger nicht handeln.

Der Bharataka als glücklicher Ehemann

Leicht wird ein Tor von den Frauen durch ihr Tun betrogen, wie jener Bharataka von seiner Hausfrau, welche auf hohem Berge wohnte.
Auf einem Berge vor der Ortschaft Karataka lebte mit seiner Ehefrau ein schiwaïtischer Mönch namens Kadāgrahin in seiner Klause. Dieser Mönch pries seiner Gattin Keuschheit in dem Orte vor dessen Bewohnern, indem er behauptete, es gäbe kein zweites Weib, welches so treu sei wie das seine:

»Mein Liebchen wohnt auf hoher, hoher Höh':
Kein zweites, Brüder, ich wie dieses seh'.
Kein Mann kommt nach dem hohen, hohen Hause!«

Während der Bharataka beständig in diesen drei Zeilen die Keuschheit seiner Frau vor den Leuten verherrlichte, dachte ein Schelm: »Den Narren hat die Liebe offenbar verrückt gemacht, da er einem Weibe Keuschheit nachrühmt. Als ob es Keuschheit bei den Weibern gäbe! Denn:

Bei der Krähe Reinheit, Ehrlichkeit bei Spielern, Sanftmut bei der Schlange, Aufhören des Liebesbedürfnisses bei den Frauen, bei einem Entmannten Mut, logisches Denken bei einem Trunkenbold und ein König als Freund: wer hat das je gesehen oder gehört?«

Um also zu erkunden, wie es mit dem Liebchen stand, begab sich der Schelm nach der Klause und sah, daß die Frau des Bharataka wirklich schön war. Da auch sie fand, der Mann sei wunderschön, und da sie bedachte, daß sonst kein Mensch zugegen war, bat sie ihn um seine Liebe, und er schlug ihr ihre Bitte nicht ab. Während die beiden so beieinander weilten, kam plötzlich der Bharataka aus der Ortschaft zurück. Als der Schelm das Geräusch seiner Tritte vernahm, erschrak er; die Frau aber steckte ihn in einen Winkel und sagte zu ihm: »Du brauchst gar keine Angst zu haben. Ich will schon dafür sorgen, daß du keine Unannehmlichkeiten hast. Dafür mußt du mich aber auch alle Tage hier oben besuchen.« Das versprach er ihr denn auch. Darauf stand sie auf, ging dem herankommenden Bharataka entgegen und sagte zu ihrem Gemahl: »Herr, ein schweres Unheil bedrohte dich heute. Da fiel ich der Schutzgottheit dieses Ortes zu Füßen und bat sie demütig, es abzuwenden. Die Gottheit sagte zu mir: ›Wenn sich dein Gemahl eine Binde um die Augen legt und eine Glocke um den Hals hängt und dreimal um die Klause geht, indem er dabei seinen Dreizeiler spricht: Mein Liebchen wohnt auf hoher, hoher Höh' usw., dann wird alle Gefahr vorübergehen.‹« Der Bharataka tat genau, wie sie es ihm vorgeschrieben hatte, und inzwischen lief der Schelm eiligst davon, indem er als Schluß der Strophe die Worte rief:

Ums Aug' die Binde, die Glocke am Hals,
Wir aber drin in der Klause!«

Nachdem der Bharataka seinen dritten Umgang beendet hatte, fragte er seine Frau: »Wer ist denn der Mann, meine Liebe, der dort davonläuft?« Sie erwiderte ihm: »Das, o Herr, ist das leibhaftige schwere Unheil, welches sich entfernt. Diese Auskunft stellte ihn vollkommen zufrieden. Von nun an kam der Schelm alle Tage und entfernte sich wieder, wenn er ihre Liebe genossen hatte.

Nach einigen Tagen sagte der Bharataka vor den Leuten wieder einmal seine Verse her:

»Mein Liebchen wohnt auf hoher, hoher Höh':
Kein zweites, Brüder, ich wie dieses seh'.
Kein Mann kommt nach dem hohen, hohen Hause!«

Der Schelm aber fügte seinen Strophenschluß hinzu:

»Ums Aug' die Binde, die Glocke am Hals,
Wir aber drin in der Klause!«

Da wußten die Leute über das Liebchen und seine Keuschheit Bescheid. Nur der Schiwaït in seiner Dummheit merkte nichts. So sind nun einmal die Dummen.

König Madhumathana

In der Stadt Mathurā regierte einst ein König Madhumathana; der hatte eine Königin Wasumatī, einen Minister Dhīdjana und eine Amme Jaschōdā. Auch ein Narr namens Bhīma lebte dort, welcher des Königs ganze Gunst besaß und alle Welt zum besten hatte.

Eines Tages sagte der König zu ihm: »Wenn es dir gelingt, mich anzuführen, so gebe ich dir ein Gnadengeschenk von einem Lākh, das sind 100 000 Goldstücke.« Der Narr sagte kein Wort und ging nach Hause. Dort zog er die Seinigen ins Vertrauen, und nach einiger Zeit mußten sie das Gerücht verbreiten, er sei an einer Krankheit gestorben, und mußten statt seiner eine Puppe im Scheiterhaufen verbrennen. Der König war sehr betrübt und klagte: »Es tut mit leid, daß Bhīma gestorben ist; denn er hatte viele gute Seiten.«

Nachdem etliche Tage vergangen waren, kam Bhīma aus einem unterirdischen Gemach, in welchem er sich verborgen hatte, wieder zum Vorschein. Er trug einen Schmuck von Schlangen, welche er aus Leder gefertigt, auf der Stirn ein drittes Auge, das er sich mit Speckstein gemalt hatte, in der Faust einen Dreizack, ferner eine künstlich zurechtgemachte Laute, einen diademartigen Haarwulst, den er sich hoch emporgewunden, und ein aus einer schwärzlichen Decke gefertigtes Elefantenfell. Seinen schlanken Körper hatte er dick mit Asche bestrichen, und ein Kranz von Schädeln hing ihm vom Halse herab. So setzte er sich auf einen einhörnigen Stier, und als er sich in dieser Weise ganz wie Schiwa herausstaffiert hatte, begab er sich nächtlicherwiese ins Haus der Amme des Königs, welche eine Verehrerin des Schiwa war.

Als diese Schiwa leibhaftig vor sich stehen sah, pries sie sich selig, bezeigte ihm ihre Ergebenheit, indem sie ihn zum Sitzen einlud und ihm die übrigen gastlichen Ehren erwies, trat mit zusammengelegten Vorderarmen vor ihn hin und sprach zu ihm: »Erhabener Gott, der das All beherrscht, durch deine Gnade sind heute alle meine Wünsche erfüllt. Möchtest du mich, deine Magd, dadurch heiligen, daß du alle Tage zu mir kommst!« Als sie dies zu ihm gesagt hatte, kam er fortan beständig in ihr Haus, und eines Tages redete sie wieder zu ihm und sprach: »Mein Schirmherr, führe mich, die ich sonst keinen Schirmherrn habe, lebendig in den Himmel ein!« Er antwortete: »Am siebenten Tage werde ich dich mit Erlaubnis des Götterkönigs Indra in den Himmel holen.« Mit diesem Versprechen entfernte er sich. Die Amme aber erzählte dem König haarklein ihr nächtliches Erlebnis.

In seinem Auftrage sagte sie zu jenem, als er wieder zu ihr kam: »Auch der König möchte gern lebendig in den Himmel eingehen.« Bhīma entfernte sich mit demselben Versprechen wie vorher, und als die Amme dies dem König mitgeteilt hatte, erzählte dieser wiederum alles der Königin. Dadurch ward auch in der Königin und im Kanzler wie vorher im König das lebhafte Verlangen rege, in den Himmel einzugehen, und die Amme teilte dies Bhīma mit, als er wieder bei ihr war. Durch ihr inständiges Flehen ließ er sich bewegen, wiederum dieselbe Frist zu bestimmen, und entfernte sich.

Am festgesetzten Tage stellte er sich wieder ein und sprach zu der Amme des Königs: »Vernimm, Jaschōdā! Ihr alle, du, der König, die Königin und der Kanzler, müßt eure Kleider ablegen und mit siebenfältig gefalteten Tüchern eure Augen fest verbinden; dann sollt ihr mit mir kommen, auf daß ich euch nach der Welt der Götter führe.« Und da sie alle begierig waren, des Himmels teilhaftig zu werden, richteten sie sich genauso her, wie er befohlen hatte, ergriffen den Schwanz seines Stiers, verließen um Mitternacht den Palast und gingen hinter ihm drein.

Bhīma führte sie alle sechs Stunden lang von da aus in der Stadt umher; dann ritt er bei Tagesanbruch auf den Damm des Sees vor der Stadt und sagte zu ihnen: »Harret hier vor dem Himmelstor; ich will den Götterkönig um seine Erlaubnis bitten und euch dann alle in den Himmel einführen.« Nach diesen Worten kehrte er nach Hause zurück.

Am Morgen kamen die Bürger heraus, und als sie die vier in dem geschilderten Aufzug erblickten, riefen sie: »Was soll das heißen? Was soll das heißen?« An ihren Stimmen erkannten die vier, daß sie noch bei ihrer Stadt waren, rissen die Binden von ihren Augen, hielten beschämt die Hände vor ihre Gesichter und flüchteten sich unter ihr Hofgesinde.

Nachdem alsdann wieder einige Tage verstrichen waren, legte der Narr Bhīma ein neues Gewand an, begab sich in die Hofversammlung des Königs und wünschte ihm Sieg und Heil. Der König rief: »Ei, Bhīma! Du warst doch gestorben! Wie bist du denn hierhergekommen?« Da sagte Bhīma: »Majestät! Ich bin

genauso gestorben, wie Ihr in die Welt der Götter eingezogen seid.«
Als der König das hörte, dachte er: »Da hat mich der Narr also doch angeführt!« Und da ihm jetzt sein Versprechen wieder einfiel, erzählte er den Anwesenden, was er dem Bhīma gelobt hatte, und spendete diesem das versprochene Gnadengeschenk von einem Lākh und noch ein halbes dazu.

Die kluge Alte

In der Stadt Gōrambha lebte ein sehr dummer Kaufmann namens Bharada. Dieser begab sich einst nach dem Hause seines Schwiegervaters, um seine Frau heimzuführen, welche Nāminī hieß. Er wurde von seinem Schwiegervater und dessen Angehörigen gastlich aufgenommen und machte sich dann mit ihr auf den Heimweg. Auf ihrer Straße trafen sie einen Jäger namens Karamana; der fragte den Kaufmann: »Ob wohl in dem Judendorndickicht da am Wege ein Hase steckt?« Bharada sagte: »Da steckt keiner drin!« Der Jäger wettete um seinen Kopf, Bharada um seine Frau, und als sie das Dickicht durchstöbert hatten und wirklich ein Hase herauslief, nahm der Jäger die Frau und entfernte sich mit ihr; der Kaufmann aber ging weinend hinter ihm her.

Da fragte ihn eine alte Frau namens Akkā, und er erzählte ihr alles, was sich begeben hatte. Die Alte fragte den Jäger: »Wie kommst du dazu, dieses Mannes Frau zu nehmen und mit ihr fortzugehen?« Und vor den Ohren einer Menge von Leuten berichtete er ihr über die gegenseitig verabredete Wette. Da sagte die Frau: »Du dummer Jäger! Das Feld neben dem Dickicht gehört mir. Darum weiß ich, daß in dem Gebüsch nur eine Häsin wohnt und kein Hase. Wenn du es nicht glaubst, ei so bringe sie doch her; dann wird sich's ja zeigen!«

Als die Alte das gesagt hatte, mußte der Jäger die Frau des Kaufmanns loslassen und ging mit rotem Gesicht nach Hause. Bharada aber und seine Frau ehrten Akkā wie eine wirkliche Mutter, indem sie ihr Gold, Gewänder und anderes schenkten, und gingen dann gleichfalls heim.

König Wikrama, oder: Die Freigebigkeit

In der Stadt Udschdschajinī herrschte einst der berühmte König Wikramāditja, den die Furcht nur beschlich, wenn er von der Not anderer Menschen hörte, und der den Frauen anderer ein Bruder war. Als dieser eines Tages ausging, bemerkte er einen Boten, welcher offenbar aus fernen Landen kam; denn seine Kleider waren abgetragen und seine Schuhe zerrissen. Er fragte ihn: »Wo kommst du her?« Und als der Mann ihm antwortete: »Ich komme aus der Stadt Kanakasāra«, fragte der König weiter: »Hast du dort etwas Merkwürdiges gesehen?« Der Mann antwortete: »Vernimm, o Herr, was sich dort Merkwürdiges zuträgt. In dieser Stadt herrscht König Kanakasundara; der hat eine Tochter Tilakschrī, welche ein Juwel aller Weiblichkeit ist. Als dieser eines Tages ihre Eltern von der Vermählung sprachen, gab sie zur Antwort: ›Wer mich in einer Nacht durch Erzählungen viermal zum Reden bringt, der soll mein Herr sein; gelingt's ihm nicht, so sei er mein Knecht.‹ Überallhin verbreitete sich die Kunde von diesem ihrem Entschluß, und viele, die es vernahmen, Söhne von Königen, Ministern, Kaufherren, Karawanenbesitzern, Feldherren und anderen bedeutenden Männern stellten sich bei ihr ein. Da es ihnen aber nicht gelang, sie zu überwinden, so müssen sie nun alle Tage im Palaste der Prinzessin mit geschorenem Kopf, trübselig verzogenen Mundes, an den Füßen gefesselt und mit Weiberkleidern und Weiberschmuck angetan Wasser tragen. Das ist das Merkwürdige, das ich dort gesehen habe.«
Als der Mann diese seltsame Geschichte erzählt hatte, entließ ihn der König, nicht ohne ihn vorher beschenkt zu haben; und in der festen Absicht, die Prinzen und anderen Söhne guter Familien aus ihrem Unglück zu erretten und den Hochmut der Prinzessin zuschanden zu machen, gedachte er in seinem Geiste des Wētāla, seines göttlichen Dieners, und begab sich nach jener Stadt. In dieser ging der König als Jōgin, als Asket verkleidet umher, und als er an das Tor des Palastes kam, schlug er auf den dort hängenden Gong. Die Dienerinnen, welche daran erkannten, daß wieder jemand gekommen war, um ihre Herrin zu überwinden, eilten herbei, sahen den Jōgin und erstatteten ihr über ihn Bericht. Sie ließ ihn rufen; er trat ein, und als er sich in ihrem von einer Lampe traulich beleuchteten Schlaf-

gemach in seiner Jōginverkleidung auf einem Polster niedergelassen hatte, sagte er, indem er sich anschickte, der gleichfalls auf einem Polster sitzenden und in all ihrem Schmucke funkelnden Prinzessin eine Geschichte zu erzählen: »Vernimm, o Lampe! Dieses Mädchen da ist viel härter als ein Stein und nicht zu bewegen, auch nur einen Laut von sich zu geben. Wenn du aber einen Laut von dir gibst, so will ich dir eine Geschichte erzählen.« Da sagte der Wētāla, welcher in der Lampe steckte: »Erzähle!« Und der König erzählte wie folgt:

1. *Erzählung: Die vertauschten Köpfe*

Es war einmal ein Brahmane namens Nārājana, der im Dorfe Kalāsara wohnte. Dieser hatte sich schon siebenmal in seines Schwiegervaters Haus begeben, um seine Hausfrau heimzuführen; aus irgendeinem Grunde aber war sie ihm nicht gefolgt. Als er sich nun zum achten Male – diesmal in Begleitung seines Freundes Kēschawa – aufgemacht hatte, sie zu holen, kam er unterwegs an einen Wallfahrtsort, welcher Mritjundschaja hieß, trat vor den Großen Herrn Schiwa und sprach: »Wenn ich diesmal, o Gott, meine Geliebte erhalte und mit ihr zurückkehre, so will ich dir einen Lotus weihen.«

Als er dies gelobt hatte, erhielt er seine Gemahlin wirklich, und als er wieder vor dem Tempel stand, sagte er zu seinem Freunde: »Lieber Freund, warte hier auf mich, bis ich nach Verehrung des Großen Gottes wiederkomme.« Darauf trat er in den Tempel, hieb sich mit seinem Schwerte den Kopf ab, indem er ihn dem Großen Herrn weihte, und fiel tot vor ihm nieder. Als Kēschawa die Zeit zu lange dünkte, ging er gleichfalls hinein und dachte, da er seinen Freund in diesem Zustande erblickte: »Wenn ich mit der jungen Frau nach Hause gehe, so wird unbedingt mein guter Name befleckt werden; denn die Leute werden sagen: ›Dieser Bösewicht, der sich an seinem Freunde vergangen, hat ihn aus Gier nach seinem Weibe ermordet.‹« Darum hieb auch er sich das Haupt ab und stürzte an derselben Stelle tot zu Boden.

Als beide nicht zurückkamen, geriet die junge Frau in große Angst; sie trat ein, und als sie sah, wie es mit den beiden Männern stand, dachte sie: »Wenn ich allein in meines Schwiegervaters oder in meines Vaters Haus gehe, so wird man mir wahrscheinlich einen Makel anheften und wird sagen, ich sei ein zügelloses Weib und habe meinen Gatten und seinen Freund ermordet. Darum kann auch ich nur tun, was sie getan haben.« Und schon wollte sie sich mit demselben Schwerte das Haupt abschlagen, als Schiwa, fürchtend, er möchte die Sünde des Frauenmordes auf sich laden, ihr erschien und ihr das Schwert aus der Hand nahm. Sie aber sagte: »Was soll ich mit dem Leben, wenn an mir ein Makel haftet und ich meines Gatten beraubt bin? Darum werde ich nur dann am Leben bleiben, wenn du diese beiden wieder lebendig machst, sonst nicht.« Als der heilige Schiwa sah, daß dies ihr fester Wille war, sagte er zu ihr: »Wenn du diese beiden mit dem Wasser besprengst, mit dem ich gewaschen worden bin, so werden sie ins Leben zurückkehren.« Kaum hatte sie das vernommen, so tat sie es. Infolge ihrer allzu großen Ungeduld aber verwechselte sie die Köpfe, als sie sie an die Körper anlegte, und als sie die beiden besprengte, wurden sie mit vertauschten Köpfen lebendig.

Gib nun acht, Lampe! Jetzt stritten beide sich um die junge Frau. Wessen Hausfrau wurde sie da?

Auf diese Frage des Jōgin antwortete der Wētāla, welcher in der Lampe steckte, in der Absicht, die Prinzessin zum Sprechen zu bringen: »Die Frau dessen, der ihres Gatten Haupt trug.«

Als die Prinzessin diese ungereimte Antwort hörte, überwältigte sie der Zorn, so daß sie ihre Absicht vergaß und mit lauter Stimme rief: »Lüge nicht, elende Lampe!«

Da ließ der Jōgin auf den Gong schlagen zum Zeichen dafür, daß er die Königstochter einmal zum Reden gebracht hatte. Die Lampe fragte: »Wessen Gemahlin wurde sie denn, König der Jōgin?« Der Jōgin sagte: »Dessen, der des Freundes Kopf trug.« – »Wieso?« fragte die Lampe. Der Jōgin sagte: »Bei der Trauung reicht man der Braut die rechte Hand. Diese aber gehört doch wohl zum Rumpf.«

Die Prinzessin aber dachte: »Einmal hat er mich zum Sprechen gebracht; dreimal sind noch übrig.« Daher verharrte sie nun erst recht im Schweigen.

Darauf redete der Jōgin wie vorher die Lampe so jetzt den Ohrring des Mädchens an und begann wieder zu erzählen wie folgt:

2. *Erzählung: Die vier Freier*

In der Stadt Dhanaratha hatte der Kaufmann Baladatta eine Tochter, die hieß Doppeltschön und war einzeln von ihrem Vater, ihrer Mutter, ihrem Bruder und dem Bruder ihrer Mutter je einem Freier versprochen worden. Als die vier Freier nun alle gleichzeitig ankamen, um Hochzeit zu halten, und sich miteinander stritten, dachte die Jungfrau, die das gewahrte: »Ach, ich bin schuld an diesem entsetzlichen Streit!« Und so ging sie lebendig ins Feuer und verbrannte zu Asche. Nun ging einer von den Freiern mit ihr zugleich ins Feuer. Der zweite baute sich auf dem Verbrennungsplatz ein Haus und wohnte dort. Der dritte gelobte, nur noch von erbettelter Speise zu leben, und wenn er etwas erbettelt hatte, so legte er einen Teil davon auf den Scheiterhaufen, und das übrige aß er selbst. Der vierte aber nahm die Gebeine des Mädchens und wanderte mit ihnen nach der Gangā. Unterwegs kam er nach der Stadt Mahānandi, ging hinein, um seine Nahrung zu erbetteln, und kam an das Haus des Kaufmanns Mānadatta. Dessen treue Gemahlin Kamalaschrī wollte ihm Speise geben. Da ihr aber ihr heftig weinendes Söhnchen darin hinderlich war, warf sie es in das Herdfeuer. Als sie darauf dem Bettler die Speise reichen wollte, sagte dieser: »Um meinetwillen, Mutter, hast du deinen Sohn gemordet ... darum kann ich diese Speise nicht annehmen.« So wies er sie ab und wollte gehen; sie jedoch beträufelte den Knaben mit Amrita, machte ihn dadurch wieder lebendig und trat abermals vor den Mann, um ihm die Speise zu reichen. Da sagte dieser zu ihr: »O Mutter, gib mir etwas von diesem Amrita!« Sie erfüllte seine Bitte, und mit dem Amrita, welches sie ihm geschenkt hatte, kehrte er zurück und belebte die Jungfrau samt dem Freier, der sich mit ihr verbrannt hatte.

Nun gib acht, Ohrring! Als sie wieder lebendig geworden war, stritten sich wieder alle vier miteinander um sie. Wessen Gattin wurde sie?

Als der Jōgin dies gesagt hatte, sprach der Wētāla, welcher in dem Ohrring steckte, um die Prinzessin zum Reden zu bringen: »Die Gattin dessen, der sie wieder lebendig gemacht hatte.«

Kaum hatte die Königstochter diese höchst ungereimte Antwort gehört, so ward sie gewaltig böse, so daß sie ganz vergaß, was sie sich vorgenommen hatte, und mit lauter Stimme rief: »Lüge nicht, elender Ohrring!«

Da ließ der Jōgin auf den Gong schlagen zum Zeichen dafür, daß er die Königstochter zum zweiten Male zum Reden gebracht hatte. Der Ohrring fragte: »Wessen Frau wurde sie denn, König der Jōgin, und in welchem Verhältnis stand sie zu den anderen?« Der Jōgin gab zur Antwort: »Derjenige, der ihr durch das Amrita das Leben schenkte, war ihr Vater; derjenige, der sich mit ihr aus dem Scheiterhaufen erhob, ihr Bruder; derjenige, der sie an dem Orte des Scheiterhaufens bewachte, ihr Diener; derjenige aber, welcher ihr von einem Teile dessen, was er erbettelt hatte, Speise, Kleidung und anderes schenkte, ihr Gatte. Denn das Gewähren von Kleidung, Nahrung, Schmuck und anderen Bedürfnissen hängt vom Eheliebsten ab.«

Als der Jōgin das gesagt hatte, dachte die Prinzessin: »Zweimal hat er mich zum Reden gebracht, und zweimal sind noch übrig.« So verharrte sie nun erst recht im Schweigen.

Darauf begann der Jōgin wieder zu erzählen, indem er sich, wie vorher an die Lampe, so jetzt an die Perlenkette der Jungfrau wandte. Er sprach:

3. Erzählung: Die belebte Puppe

König Narapāla in der Stadt Narasāra hatte einen Sohn namens Punjapāla. Dieser war mit Buddhisāra, dem Sohne des Oberpriesters, mit Gunasāra, dem Sohne eines Holzbildhauers, mit Rūpasāra, dem Sohne eines Goldschmieds, und mit Dhanasāra, dem Sohne eines Webers, befreundet.

Eines Tages, als Punjapāla auf Befehl seines Vaters das Land verlassen mußte, fragte er seine vier Freunde, ob sie ihn begleiten wollten, und sie sprachen: »Wir weichen sowenig von dir wie deines Körpers Schatten.« So verließ er denn von ihnen begleitet seine Vaterstadt und kam in einen dichten Wald. Als es Nacht geworden, legte sich der Königssohn schlafen, während sich die vier anderen abwechselnd in die Nachtwachen teilten. In der ersten Nachtwache nun schnitzte Gunasāra aus einem Stück Sandelholz eine an allen Gliedern liebliche Mädchengestalt, herrlich wie eine Göttin. Als er damit fertig war, legte er sich schlafen, und Dhanasāra stand auf zur zweiten Nachtwache. Dieser kleidete ihren Körper in seidene Unter- und Oberkleider und anderes derart, wie es ihrer würdig war, und als er sich darauf zur Ruhe legte, stand zu Beginn der dritten Nachtwache Rūpasāra auf. Der schmückte sie mit Edelsteinen, Gold und anderem Geschmeide und legte sich dann nieder, während sich Buddhisāra erhob, um die vierte Nachtwache zu übernehmen. Buddhisāra zog durch einen Zauberspruch den heiligen Gott der Sonne herbei, welcher mit einem Strahlenkranz umgeben ist, und als er mit dessen Hilfe die Gestalt belebt hatte, wurde es Tag.

Nun gib acht, Perlenhalsband! Als die vier diese Gestalt sahen, erzählte jeder von ihnen vor Punjapāla, was er getan hatte, und alle stritten sich um das Mädchen. Wessen Gattin wurde sie?
Auf diese Frage des Jōgin antwortete der Wētāla, welcher in der Perlenkette steckte, um die Prinzessin zum Reden zu bringen. »Die Gattin dessen, der sie belebt hatte.«
Als die Königstochter diese ganz ungereimte Rede vernahm, ärgerte sie sich darüber, so daß sie wieder ihren Vorsatz vergaß und mit lauter Stimme rief: »Elende Perlenkette! Lüge doch nicht so!«
Zum Zeichen dafür, daß er die Prinzessin zum dritten Male zum Reden gebracht hatte, ließ der Jōgin auf den Gong schlagen; und als ihn die Perlenkette fragte: »O König der Jōgin! Wessen Hausfrau wurde sie denn, und in welchem Verhältnis stand sie zu den anderen?« sagte er: »Derjenige, welcher ihr das Leben schenkte, war ihr Vater, derjenige, welcher sie gebildet hatte, ihre Mutter, derjenige, welcher sie schmückte, ihr Mutterbruder. Ihr Gemahl war der, welcher sie kleidete. Denn nur der Gatte kleidet die nackte Frau.«
Als der Jōgin so gesprochen hatte, dachte die Prinzessin: »Dreimal hat er mich zum Sprechen verleitet; nur einmal ist noch übrig.« Nun verhielt sie sich besonders schweigsam.
Darauf begann der Jōgin wieder wie folgt zu erzählen, indem er sich diesmal, wie vorher an die Lampe, an das Mieder der Jungfrau wandte.

4. Erzählung: Die vier Väter

In der Stadt Haritschandra regierte König Harischēna. Zu diesem sagte einst ein Brahmane Schanikara, welcher eines Diebstahls wegen verhaftet und von ihm zum Tode verurteilt worden war: »Nach der Offenbarung, o König, kann ein unverheirateter Brahmane nach seinem Tode nicht in den Himmel kommen. So vermähle mich denn, bevor du mich töten läßt, für den Preis von fünf Edelsteinen, welche sich in meinem Schenkel eingenäht befinden, mit irgendeiner Brahmanentochter!« Der König gewährte seine Bitte, gab einem Brahmanen die fünf Edelsteine, verheiratete den Dieb mit dessen Tochter Prijamatī und ließ ihn dann hinrichten. Nach dem Tode ihres Gatten führte Prijamatī ein ausschweifendes Leben, und als sie von irgendeinem Manne ein Söhnchen gebar, setzte sie es vor der Stadt

aus und legte ihm einen Ring bei, welcher ihren Namen trug. Ein Töpfer namens Dharma aber fand und erzog das Knäblein als seinen Sohn.
Eines Abends lief das Knäblein, welches einen lieblichen Körper hatte, in der Nähe der Tongrube umher. Dort erblickte es der König Harischēna und dachte: »Der arme Junge soll mein Sohn sein!« Darauf nahm er ihn und übergab ihn der Königin; und als der König gestorben war, ward er selbst unter dem Namen Saranasimha zum König gemacht.
Einst zur Zeit der Totenopfer begab er sich nach der Gangā, um seinem Vater die Manenspende darzubringen. Infolge der Wunderkraft jener Badestelle streckten sich gleichzeitig vier Hände aus der Gangāflut empor, um die Spende zu ergreifen. Als der König dieses Wunder gewahrte, war er sehr erstaunt und erfuhr von der Königinmutter, welche er die Wahrheit ihrer Aussage beschwören ließ, den Sachverhalt. Durch die Erwähnung der Tongrube gelang es ihm, die Bestätigung ihrer Geschichte zu erhalten. Er fragte die Töpferswitwe. Diese erzählte ihm alles, wie es sich ereignet hatte, und gab ihm jenen mit einem Namen gezeichneten Ring. Als er durch die Schriftzüge des Ringes der Geschichte auf den Grund kam, verhörte er die Brahmanin, welche ihm die Wahrheit gestand. Darauf ging der König nach der Gangā und sprach: »Ich habe vier Väter; derjenige von ihnen halte die Hand empor, welchem die Manenspende gebührt!«
Nun, Mieder! Wessen Hand schickte sich an, die Spende entgegenzunehmen? Auf diese Frage des Jōgin sagte der Wētāla, welcher sich in dem Mieder befand, weil er die Prinzessin zum Reden veranlassen wollte: »Die Hand des Buhlen erhält die Spende, weil der König aus dessen Samen entstanden ist.«
Als die Königstochter diese ganz verkehrte Antwort hörte, geriet sie in Zorn, so daß sie wieder ihren Vorsatz vergaß, und rief mit lauter Stimme: »Lüge nicht, elendes Mieder!«
Zum Zeichen dafür, daß er die Königstochter zum vierten Male zum Reden gebracht hatte, ließ der Jōgin den Gong schlagen. Und als das Mieder fragte: »Wessen Hand bekommt denn die Spende, König der Jōgin?« sagte dieser: »Die Hand des brahmanischen Diebes Schanikara erhält die Spende; denn er ist der gesetzmäßige Gatte. Nach seinem Tode erst wurde die Brahmanin liederlich.«
Als es tagte, sagte die Prinzessin: »Ich bin deine Magd, Jōgin, und du bist mein Herr.« Während sie noch sprach, kam auch

ihr Vater herbei, welchem gemeldet worden war, was sich zugetragen hatte. Er neigte sich und blieb vor ihm stehen. Da gab sich Wikramāditja zu erkennen, erzählte, wie sich alles verhielt, befahl, die Königssöhne und die anderen Söhne aus guten Familien freizulassen, vermählte sich mit der Prinzessin und kehrte mit ihr nach seiner Residenz zurück. Dort hörte der König hinter einer Wand, wie ein Maler zu einem anderen sagte, welcher des Königs Audienzsaal ausschmückte und sich mit seiner Kunst brüstete: »Guter Freund! Warum bildest du dir auf deine Malkunst so viel ein? Du denkst am Ende gar, der König ist so davon entzückt, daß er dir die schweigsame Prinzessin schenkt, die er heute hierhergebracht hat!«
Als das der König hörte, bei dem die Freigebigkeit zur Leidenschaft geworden war, schenkte er sie jenem Maler und machte diesen selbst zum Fürsten eines Landes.

Der Brahmane Schūradāsa, oder: Das Glück

In der Stadt Ghanāsana lebte ein Brahmane namens Schūradāsa; der hatte ein bitterböses Weib, welches Kālinī hieß. Kālinī hatte einen bösen Mund, war jähzornig, und ihre Treue ließ alles zu wünschen übrig.

Einst aß der Brahmane zur Nacht. Als er aber bemerkte, daß der Mehlbrei, den er erhielt, nicht einmal gesalzen war, begann er heftig zu schelten. Darüber geriet seine Frau in gewaltigen Zorn; sie nahm den Breitopf und zerschlug ihn am Kopfe des Brahmanen. Dann ergriff sie einen zweiten Topf, um ihn gleichfalls an seinem Kopfe zu zertrümmern. Aber kaum hatte der Brahmane das gesehen, so ließ er entsetzt sein Essen stehen und machte, daß er fortkam. Er flüchtete durch die Stadtkloake und stürzte in den Wallgraben.

Darauf kam eine Bande von Dieben, die in der Stadt geplündert hatten, in denselben Wallgraben, setzte sich in ihm nieder und machte sich an die Teilung des Raubes. Dabei rollte aus dem Diebesgut eine Kokosnuß heraus. Das bemerkte einer der Spitzbuben, und da er in der Finsternis den geschorenen Kopf des Brahmanan für einen Stein hielt, so versuchte er, die Kokosnuß daran aufzuschlagen. Der Brahmane dagegen hielt den Dieb für seine Frau und glaubte, sie sei ihm nachgelaufen und wollte den Topf an seinem Kopf zertrümmern. Darum rief er, so laut er konnte: »Ich freß ihn! Ich freß ihn!« Wie das die Spitzbuben hörten, glaubten sie, ein Gespenst sei erschienen; sie ließen ihren Raub im Stiche und liefen auf und davon.

Als aber der Morgen dämmerte, gewahrte der Brahmane all das reiche Gut: Edelsteine, Perlen, Gold, Silber und andere Kostbarkeiten, nahm es, wanderte in eine andere Stadt, nahm sich dort eine andere Frau und lebte von nun an glücklich und zufrieden.

Dhanaschrī, oder: Das Böse, das du andern getan hast, fällt auf dich zurück

In der Stadt Adhōranapura lebte ein Kaufherr Dhanja. Der hatte von seiner Gemahlin Dhanaschrī zwei Söhnchen.

Nun ging in dieser Stadt bei Tag und bei Nacht ein Jōgin umher, welcher Dhawalanātha hieß, und erbettelte auf der Königsstraße, an den Straßenkreuzungen, auf den öffentlichen Plätzen, in den Straßen der Kaufleute, in den Tempeln und an anderen verkehrsreichen Orten seine Nahrung, und dabei sagte er immer die Worte: »Was einer tut, das wird er ernten.«

Eines Tages hörte Dhanaschrī, was der Jōgin sagte, und dachte: »Ob seine Rede wohl wahr oder falsch ist?« Um's zu erproben, gab sie ihm zwei Pfannkuchen, die sie mit einem sehr starken Gifte versetzt hatte. Der Jōgin nahm die beiden Pfannkuchen und reichlich andere Speisen, die ihm geschenkt wurden, ging an einen Teich vor der Stadt, reinigte sich Hände, Mund und andere Körperteile mit dessen Wasser und wollte sich eben setzen, um sein Mahl zu verzehren, als Dhanaschrīs beide Söhnchen dorthin kamen, um zu spielen.

Der Anblick dieser schönen, zarten und wohlgesitteten Knäblein machte dem Jōgin so großes Vergnügen, daß er ihnen die beiden Pfannkuchen schenkte. Die Kinder aßen sie, tranken Wasser darauf und legten sich an Ort und Stelle unter einem Baume nieder; und da das Gift seine Wirkung tat, so starben sie beide. Der Jōgin aber kehrte nach Hause zurück.

Als Dhanaschrī erfuhr, daß ihre Kinder gestorben waren, glaubte sie, eine Schlange oder ein anderes giftiges Tier habe ihren Tod verursacht, und mit der Zeit legte sich ihre Trauer.

Eines Tages geschah es, daß sie denselben Jōgin umherziehen sah und seinen gewohnten Spruch hersagen hörte. Da erschrak sie und dachte: »Hat er denn die Pfannkuchen gar nicht gegessen?« Um ihren Zweifel loszuwerden, fragte sie ihn: »Heda! Jōgin! Habt Ihr die beiden Pfannkuchen, die ich Euch gab, verzehrt, o Herr, oder habt Ihr sie weggeworfen oder verschenkt?« Da erzählte er ihr auf ihre Frage alles, was sich ereignet und was sie sich selbst zugezogen hatte. Als sie das hörte, ward ihr bei des Jōgin Worten der Zusammenhang klar. Sie klärte ihn über das ganze Ereignis auf und entließ ihn. Selbst aber führte sie fortan ein der Religion geweihtes Leben.

Literatur der Volkssprachen

Der Blinde und der Lahme

In einem Walde befanden sich Leute, welche aus Furcht vor einem König aus der Stadt geflohen waren. Da sie hier wieder durch einen Überfall in Gefahr gerieten, flüchteten sie, ihre Wagen im Stiche lassend. Auch zwei Männer ließen sie im Stiche, die so gut wie hilflos waren, einen Blinden und einen Lahmen. Als der Überfall vorüber war, entstand durch das Feuer, welches die Leute unterhalten hatten und welches durch den Wind verbreitet wurde, ein Waldbrand.

Die beiden gerieten in Angst. Der Blinde warf sein Obergewand ab und floh, gerade aufs Feuer zu. Der Lahme rief ihm zu: »Flieh nicht dorthin, Blinder! Dort ist gerade das Feuer!« Der andere fragte: »Wohin soll ich mich denn aber wenden?« Der Lahme sagte: »Ich könnte dir den Weg vorwärts zeigen, so weit du wolltest; da ich aber lahm bin, so nimm mich auf deine Schultern, damit ich dir angebe, wo du den Schlangen, Dornen, dem Feuer und anderen Gefahren aus dem Wege gehen kannst, und damit ich dich glücklich in die Stadt weisen kann.« Der Blinde nahm den Vorschlag an und richtete sich nach des Lahmen Worten, und so gelangten die beiden wohlbehalten in die Stadt.

So lautet das Gleichnis. Seine Anwendung aber ist diese: Durch die Tat und das Wissen gelangt man in die Stadt der Erlösung.

Folgen der Unbedachtsamkeit

Die Frau eines Soldaten ward schwanger und ebenso das Weibchen eines Ichneumons. Beide gebaren in einer Nacht. Da dachte die Frau: »Das Junge soll meines Söhnchens Gespiele sein.« Darum gab sie auch ihm Butter und Milch. Während sie nun eines Tages mit dem Enthülsen von Reis beschäftigt war und ihr Söhnchen auf ein Bettchen gelegt hatte, stieg auf dieses eine Schlange empor und biß das Kind, so daß es starb. Als sie wieder herabstieg, ward sie von dem Ichneumon bemerkt und in Stücke gerissen.

Darauf lief der Ichneumon mit blutbesudelter Schnauze der noch mit dem Enthülsen Beschäftigten vor die Füße und schmeichelte ihr. Sie dachte: »Er hat mein Söhnchen gebissen«, und schlug ihn mit der Mörserkeule tot. Dann lief sie zu ihrem Söhnchen, und als sie dort die zerfetzte Schlange fand, verdoppelte sich ihr Schmerz.

Agaladatta

König Dschijasattu von Udschdschēnī hatte einen Wagenlenker namens Amōharaha. Dieser hatte eine Gemahlin Dschasamatī und von ihr einen Sohn, welcher Agaladatta hieß.

Agaladatta war noch ein Kind, als sein Vater das Zeitliche segnete. Da seine Mutter unaufhörlich weinte, fragte er sie eines Tages nach dem Grunde ihres Kummers; und als er sich nicht abweisen ließ, sondern sie immer dringender fragte, sagte sie zu ihm: »Der Wagenlenker Amōharaha ist in die glänzende Stellung deines Vaters eingerückt; und wenn ich dies harte Los vor Augen sehe und sehe, daß du für deinen Beruf noch nicht vorgebildet bist, so brennt mir das Herz.« Der Knabe erwiderte: »Könnte mich denn niemand ausbilden?« Sie gab ihm zur Antwort: »In Kōsambī wohnt ein Freund deines Vaters, Dadhappahārī; der würde es wohl tun.«

Da wanderte Agaladatta nach Kōsambī und machte Dadhappahārī seine Aufwartung. Der war ein kundiger Lehrer in der Führung von Bogen, Schwert und Wagen. Er nahm sich des Knaben an und unterrichtete ihn nicht nur im Gebrauch des Bogens, sondern lehrte ihn auch, des Feindes Diskus durch den eigenen abzuschlagen, lehrte ihn den Gebrauch von Zauberwaffen und andere Künste.

Es kam die Zeit, da Agaladatta ausgelernt hatte und Abschied nahm von der Familie seines Meisters. Da ging er an den Hof des Königs, um zu zeigen, was er gelernt hatte. Er führte die Handhabung von Schwert und Schild und alles vor, was er sonst gelernt und wie es ihn sein Meister gelehrt, und alle waren ganz begeistert. Nur der König sagte: »Das ist doch nichts Besonderes« und wunderte sich nicht einmal. Doch fügte er hinzu: »Soll ich dir dafür etwas geben?« Da sagte Agaladatta: »Was liegt mir an einer anderen Spende, da Ihr mir nicht einmal Euren Beifall spendet?«

Nun wurden zur selben Zeit und in derselben Stadt deren Bewohner beim König vorstellig: »In Eurer göttergeliebten Majestät Residenz wird in unerhörter Weise ein Einbruch nach dem andern verübt; eben erst wieder sind Diebstahl und Raub fremden Gutes vollführt worden, von wem, das wissen wir nicht. Darum geruhe Eure göttergeliebte Majestät ernstlich, das Vermögen der Städter zu schirmen.«

Da befahl der König dem Polizeimeister der Stadt: »Sorge dafür, daß die Diebe innerhalb von sieben Tagen ergriffen werden!«

Als Agaladatta das hörte, überlegte er, daß dies für ihn eine Gelegenheit sei, sich auf den Weg zu machen. Darum sagte er zum König: »Innerhalb von sieben Tagen, o Herr, will ich die Diebe bringen und Euch vor die Füße legen.« Der König billigte das Anerbieten, nahm es an und sprach: »Du magst es tun!«

Froh und zufrieden in seinem Herzen verließ Agaladatta das Königsschloß und dachte: »Räuber und sonstige Übeltäter treiben sich unter allerlei falschen Abzeichen und Verkleidungen in Kneipen und an ähnlichen Orten umher; darum will ich diese Orte selbst absuchen und durch Späher absuchen lassen.« Nachdem er sie hatte durchsuchen lassen, eilte er vor die Stadt, und als er draußen war, setzte er sich ganz allein unter einem edlen Mangobaum nieder, der kühlen Schatten bot, und verweilte daselbst, in ein ärmliches und schmutziges Gewand gekleidet und nachsinnend über ein Mittel, die Räuber zu fangen.

Nach einer Weile suchte ein Mönch, unverständliche Worte murmelnd, den Schatten desselben Mangobaumes auf, brach von dem Baume Schößlinge und Zweige ab und ließ sich auf ihnen nieder. Dabei bemerkte Agaladatta, daß der Mönch kräftige Waden und lange Beine hatte. Als er das sah, erschrak er in seinem Herzen und dachte: »Seine Gliedmaßen deuten auf ein böses Handwerk; der Mann ist sicher ein Räuber.«

Schon aber redete ihn der Mönch an und sprach: »Wo bist du denn her, mein Sohn, und warum bist du denn auf der Wanderschaft?« Agaladatta antwortete ihm: »Ich bin aus Udschdschēnī, heiliger Mann, und streife umher, weil ich mein Vermögen eingebüßt habe.« Der andere sagte: »Ich will dir viel kostbares Gut verschaffen, mein Sohn.« Agaladatta sprach: »Ich bin Euch sehr verbunden.«

Inzwischen ging der Tag zur Rüste, und auch die Dämmerung ging vorüber. Da zog der Mönch ein Schwert hervor und gürtete seine Lenden. Dann stand er auf und sprach: »Laß uns nach der Stadt gehen!«

Mißtrauisch folgte ihm Agaladatta und dachte: »Das ist der Räuber!« Sie kamen in die Stadt und an ein Haus, bei dessen Anblick jeder große Augen machte: denn es deutete auf reichen, ja auf überreichen Besitz des Eigentümers.

Der Mönch brach in die Mauer ein Loch, das die Gestalt einer

Haarlocke auf Wischnus Brust hatte, und kroch durch dasselbe hinein. Einen Korb nach dem andern brachte er heraus, alle mit Schätzen gefüllt. Dann entfernte er sich, indem er Agaladatta zur Bewachung derselben zurückließ.

Agaladatta dachte: »Ich will der Sache auf den Grund gehen.« Da kam auch schon der Mönch mit einer Anzahl armer Leute zurück, die er aus einem Dschakkha-Tempel geholt und für sich gewonnen hatte. Diese Männer hoben die Körbe auf und liefen eilends mit ihnen zur Stadt hinaus. Der Mönch aber sagte zu ihm: »Mein Sohn! Wir wollen uns in diesem verfallenen Garten ein Stündchen Schlaf gönnen, solange es noch Nacht ist. Dann wollen wir weitergehen.« Agaladatta antwortete: »Das wollen wir tun, mein Vater.«

Da setzten die Männer ihre Körbe nieder und überließen sich dem Schlaf. Der Mönch dagegen und Agaladatta hatten sich zwar ein Lager bereitet, taten aber nur so, als ob sie schliefen, und lauerten. Darauf erhob sich Agaladatta ganz leise, entfernte sich und versteckte sich hinter einem Baume, wo er sich ruhig verhielt. Als der Mönch sicher war, daß seine Leute eingeschlafen waren, ermordete der Undankbare sie. Da er aber Agaladatta auf seinem Blätterlager nicht mehr vorfand, so machte er sich auf, ihn zu suchen.

Agaladatta hatte sich hinter einem Gebüsch versteckt. Als der Mönch ihn nun suchte und gerade auf ihn zukam, versetzte jener ihm mit seinem Schwert einen Hieb und traf ihn an der Schulter, so daß er schwer verwundet und bewußtlos niederstürzte. Nachdem er wieder zu sich gekommen, sagte er zu Agaladatta: »Nimm dies mein Schwert, lieber Sohn, und bringe es nach der Westseite des Verbrennungsplatzes. Wenn du an den Tempel der Santidschdschā kommst, so bleib an seiner Mauer stehn und rufe. Dort wohnt in einer unterirdischen Wohnung meine Schwester. Bitte, gib ihr mein Schwert. Sie soll deine Frau sein, und du sollst der Herr meines ganzen Vermögens werden. Mit mir aber ist's aus; dein Hieb hat zu tief gesessen!«

Agaladatta nahm das lange, schlanke Schwert und ging. Als er an den Tempel kam, sah er sie, schön wie eine Göttin. Sie fragte ihn: »Wo kommst du her?« Da überreichte er ihr das Schwert.

Tiefe Betrübnis erfüllte ihre Seele und malte sich auf ihrem Antlitz; doch verbarg sie schnell ihren Schmerz und führte Agaladatta in den Santidschdschā-Tempel. Sie reichte ihm einen Stuhl, und er ließ sich darauf nieder, indem er argwöhnisch be-

obachtete, was sie tat. Mit großer Sorgfalt bereitete sie ein Lager und sprach: »Kommt und ruht Euch aus!« Doch er überließ sich nicht dem sorglosen Schlummer, sondern ging, sobald er sah, daß ihre Aufmerksamkeit einen Augenblick abgelenkt war, an einen andern Ort und legte sich da auf die Lauer.
Über dem Bette aber war schon vorher ein Felsblock angebracht gewesen; diesen Felsblock löste sie aus, so daß er herabstürzte und das Bett zu Staub zermalmte. Dann rief sie froh und zufrieden: »Ha! Ich habe meines Bruders Mörder vernichtet!«
Aber Agaladatta stürzte aus seinem Versteck hervor, packte sie beim Haar und rief: »Du Hurenkind! Wer vermöchte mich zu töten?«
Da warf sie sich ihm zu Füßen und sprach: »Sei du mein Schutz und Schirm!« Er antwortete ihr: »Fürchte dich nur nicht!« Dann nahm er sie mit sich nach dem Königsschloß.
Der König und die Bürger der Stadt huldigten ihm, und alle Genüsse standen ihm von nun an zu Gebote.
So geht es jedem, der auf seiner Hut ist; denn schon auf Erden wird ihm Glück zuteil.

Der Schakal, sein Weib und der Löwe

Im Lande Thalī befindet sich ein Wald, welcher Lakhī heißt, und in dem Walde wohnten ein Schakal namens Bōdhu und ein Schakalsweib namens Pōdhī. Eines Tages nun kam über das Schakalsweib ein großer Durst. Da machte es sich auf, um Wasser zu trinken. Der Schakal aber sagte zu ihm: »Wohin wollt Ihr gehen, meine Holde?« Sie entgegnete: »Ich will Wasser trinken gehen.« Da sagte ihr Gemahl: »Wie kannst du mutterseelenallein in diesem Walde gehen? Wenn irgendeiner deine Schönheit sieht, so hält er dich an und entführt dich. Bleib mir also treu; ich geh mit dir!«

Darauf machten sich die beiden auf den Weg. Unterwegs aber fragte die Schakalin: »Wieviel Kräfte stecken in dir, Geliebter?« Da sagte der Schakal: »In mir stecken nur die 64 Listen meines Lehrers! Mit diesen aber bin ich selbst in 60 Kämpfen mit dem Löwen unüberwindlich.«

Während sie so redeten, kamen sie an einen Teich; in diesem Teich aber sahen sie einen Löwen sitzen. Da sagte der Schakal: »Da vorn sitzt ein Löwe!« Die Schakalin sprach: »So kämpfe doch mit ihm und töte ihn!« Der Schakal entgegnete: »Was ich mit dir geredet hatte, damit ist's jetzt vorbei! Jetzt aber wird mir gleich vor Angst der Hintere platzen.« Die Schakalin sagte: »Du hast doch deines Lehrers Listen, 64 an der Zahl! Wie kann dich da vor diesem Löwen Furcht bedrücken? Geh nur zu und fürchte dich nicht.« Der Schakal erwiderte: »Auch meine Listen machen sich davon.« Sie sprach: »Wie machen sie sich denn davon?« Der Schakal sagte: »32 sind auf einmal weg; und hinter ihnen drein, sieh nur, gehen jetzt vier; jetzt gehen wieder zwei, und jetzt geht eine; und jetzt ist nur noch eine übrig.« Die Schakalin meinte: »Hast du noch eine List, so ist ja alles da. In der Klugheitslehre heißt es: ›Mit einer List läßt sich eine Festung nehmen; mit einer List kann man eine Festung retten.‹ Drum geh nur zu und laß uns Wasser trinken!« Da sagte der Schakal: »Auch meine letzte List ist jetzt dahin.« Sprach's und setzte sich auf die Erde nieder.

Da sagte die Schakalin: »Fürchte dich nicht, Gemahl! Komm nur, und geh mir immer nach!« Da ging der Schakal mit, immer hinter ihr drein.

Die Schakalin dachte: »Geht man auf die Gefahr zu, so flieht die Gefahr.« In dieser Erkenntnis ging sie auf den Löwen los. Als der Löwe merkte, daß sie kam, dachte er: »Ich bin hungrig: da stellt sich auch schon die Speise ein. In der Klugheitslehre heißt es: ›Wer den Jōga beherrscht, geht nicht betteln. Einsam bleibt er im Walde.‹ Weil ich nun den Karmajōga übe, kommt viel zu mir, was ich verzehren kann. Darum hat sich eben bei mir, obwohl ich sitzen geblieben bin, die Speise eingestellt. In welcher Absicht aber jene zu mir kommt, das weiß ich nicht. Darum will ich sie hernach erst töten.«

Inzwischen waren des Schakals Weib und er selbst vor den Löwen getreten und fielen vor ihm nieder. Die Schakalin aber hub an und sprach: »Vernimm, o König des Waldes, und entscheide einen Streitfall zwischen uns!« Der Löwe sagte: »Was ist das für ein Streit? Tragt ihn mir vor!« Die Schakalin sprach: »Dieser ist mein Gemahl. Nun aber treten keineswegs er und ich mit ergebener Bitte vor Euch; drum ist er jetzt fern geblieben und hat sich auf die Lauer gelegt. Aus seinem Samen nämlich sind mir drei Söhne entsprossen. Nun meint er: ›Davon will ich zwei haben.‹ Ich aber meine: ›Ich will zwei davon haben.‹ Nun seid Ihr unser König. Da Weisheit Euch erleuchtet, so teilt die Söhne unter uns!« Da dachte der Löwe, bei dem es mit der Klugheit haperte: »Das sind zwei, und jene sind drei: die will ich töten alle fünf. Dann kann ich etliche Tage sorglos leben.« Nach dieser Überlegung sagte der Löwe: »Schön! Wo sind diese Knaben?«

Die Schakalin sprach: »Unser Haus steht ganz in der Nähe. Tausend Manenspenden werdet Ihr erhalten. Doch geruhet in Erwägung, daß wir Eure Diener sind, bis dorthin zu gehen.«

Da erhob sich der Löwe von seinem Platze. Die Schakalin aber sprach: »Geht nur zu! Ich will erst Wasser trinken!«

Darauf gingen sie alle drei von dannen, bis sie ans Haus des Schakals kamen. Die Schakalin aber sagte trüglich zum Schakal: »Geht, und holet die Kinderchen aus dem Hause!«

Nun ging zunächst der Schakal ins Haus und setzte sich drinnen nieder. Eine halbe Stunde verging, und noch eine. Da fragte der Löwe: »Weshalb kommt er noch immer nicht? Auf uns ruhen viele Geschäfte!« Die Schakalin sprach: »Er ist ein ganz verschlagener Bursche und denkt: ›Ich will sie alle drei behalten.‹ Wenn Ihr also befehlt, so will ich ihn packen und ihn Euch bringen.« Der Löwe sprach: »Macht schnell und bringt ihn!« Nun ging auch die Schakalin in ihr Haus und blieb drinnen sitzen.

Nach einiger Zeit rief der Löwe: »Warum kommt Ihr nicht wieder?« Die Schakalin aber blieb im Hause sitzen und rief: »Er hat sich jetzt meinem Willen gefügt. Gehet Ihr nur wieder; denn auf Euch ruhen allerlei Geschäfte.«

Kuh und Löwe

Eines Tages entfernte sich eine Kuh von ihrer Herde und begab sich ans Ufer der Dschamnā, um Wasser zu trinken. Als sie dort grünes Gras fand, begann sie, es abzuweiden. Sie weidete, bis sie merkte, daß die Nacht hereinbrach, bedachte das und machte sich auf den Heimweg. Während sie dahinging, traf sie unterwegs einen Löwen. Dieser sagte zu der Kuh: »Ei, du fällst mir als Speise zu. Ich werde dich verzehren.«
Da begann die Kuh in ihrem Geiste zu überlegen: »Wie bin ich diesem Bösewicht in die Hände gefallen? Der läßt mich nicht frei. So will ich mir denn meine Rechtlichkeit nicht rauben lassen. Heißt es doch:

Wenn man rechtlich handelt, so stellt sich Reichtum ein;
wenn man rechtlich handelt, wird man glücklich. Wohlan!
Die ganze Rechtlichkeit erweist man, indem man Opfer darbringt.

Nun ist der Tod unvermeidlich. Also ist es angebracht, wenn ich dadurch sterbe, daß ich meinen Leib verschenke.«
So dachte die Kuh und sagte zum Löwen: »Kommt nur und verzehret mich! Ihr seid hungrig. Denn darin besteht des Hausvaters Rechtlichkeit, daß er Hungrige speist. Damit gewinnt er großes religiöses Verdienst. Doch richte ich an Euch eine demütige Bitte.« Der Löwe sagte: »Rede!« Die Kuh sprach: »Ich habe zu Hause ein Kalb. Das ist noch klein und kann noch kein Gras fressen, sondern trinkt nur Milch. Darum wird es hungrig geworden sein. So will ich es denn mit meiner Milch tränken und dann wiederkommen. Sonst wird diese Milch ebenso nutzlos vergeudet wie die Blüten eines Baumes, der im Walde steht. Nur das aber ist gut, was irgendeinen Nutzen stiftet.« Da sagte der Löwe: »Dein Gedanke ist richtig. Aber du wirst nicht wiederkommen. Wie kann ich also daran denken?« Die Kuh entgegnete: »Ich gebe dir jedenfalls mein Wort: Komme ich nicht wieder, so will ich in die Kumbhīhölle stürzen, wo die Verdammten gekocht werden.«
Da gab der Löwe seine Zustimmung, und die Kuh lief in einem Atem nach ihrem Hause und sagte zu ihrem Kalb: »Komm her, mein Sohn, und trinke deine Milch!« Als aber das Kalb seine Mutter so von ferne sah, sagte es zu ihr: »Was hast du heut

für Sorgen? Sag mir's oder ich sauge die Milch nicht.« Da die Kuh nun sah, daß der Eigensinn des Kalbes echt war, erzählte sie ihm alles, was vorgefallen war, und sprach: »Sauge schnell, mein Sohn! Ich habe dem Löwen mein Wort gegeben.« Das Kalb sagte: »Ich bin durch deine Rede so betrübt, daß ich keine Milch sauge. Ich will auch gehen, mit dir. Sonst werde ich aus Trauer um dich ja doch nicht am Leben bleiben. Denn es heißt: ›Es ist gut, wenn dieser vergängliche Leib irgendeinen Nutzen bringt.‹ Was aber ist er wert, wenn er nutzlos wird?«

Nach dieser Überlegung gingen beide, die Kuh und das Kalb, zum Löwen und sagten: »Komm her, Löwe; du bist hungrig. Verzehre uns! Seinen Leib dahinzugeben und dadurch eines anderen Nutzen zu fördern, das ist die Pflicht des Hausvaters.

Als der Löwe diese Rede vernommen hatte, sagte er: »Liebe Kuh! Ihr seid glücklich, daß Ihr unter Hingabe Eures Körpers Euer Wort gehalten, nicht aber Eure Rechtschaffenheit preisgegeben habt. Jetzt geht! Du bist jetzt meine Schwester, und dieser ist mein Schwestersohn. Jetzt werde ich Euch nicht verzehren.«

Darauf kehrten beide, die Kuh und das Kalb, als Sieger wohlbehalten in ihr Haus zurück.

Schakal, Tiger und Affe

Vom Affen wurde der Löwe getötet, vom Löwen wurde der Affe getötet. Siehe, durch eine besondere List gingen beide zugrunde.

Es war einmal eine Stadt Ratnapur; in dieser regierte ein König Ratnaschēkhar. Dieser König pflegte im Walde zu jagen, die Löwen zu verfolgen und zu töten. Da gaben die Leute dem König den Namen »Löwenmörder«. Vor seinem Heldentum entflohen alle Löwen, die in diesem Walde wohnten, und begaben sich in einen anderen. In jenem Walde aber sagte eines Tages eines Schakals Weib zum Schakal: »Die Zeit meiner Schwangerschaft hat sich erfüllt; wo soll ich niederkommen? Meine Wehen sind unerträglich.« Während nun der Schakal eifrigst Umschau hielt, bemerkte er die Höhle eines Löwen. Da begab sich Frau Schakal in diese, kam nieder und brachte vier Kinder zur Welt. Darauf stieg der Schakal auf das Dach der Höhle, setzte sich nieder und spähte fleißig umher. Und schon kam der Löwe herangeeilt, dem die Höhle gehörte. Der Schakal dachte: »Der Löwe wird mein Weib und meine Kinderchen umbringen, die sich in der Höhle befinden.« Also ersann er eine List. Er sagte nämlich zur Schakalin: »Der Löwe kommt. Ich werde oben sitzen bleiben und dir zurufen: ›Frau Schakal!‹ Dann sollst du sagen: ›Wie beliebt, König Löwenmörder: Was befehlt ihr?‹ Aus Angst vor dessen Heldentum wird der Löwe das Weite suchen.« Nachdem er diesen Rat ersonnen, stieg der Schakal wieder auf das Dach der Höhle und setzte sich. Inzwischen aber war auch schon der Löwe herangekommen. Sogleich rief der Schakal: »Frau Schakal!« Die Schakalin erwiderte: »Wie beliebt, König Löwenmörder? Was befehlt Ihr?« Da nahm der Löwe Reißaus. Auf seiner Flucht kam er an einen Baum, auf dessen einem Ast ein Affe saß. Der Affe lachte und rief dem Löwen zu: Lauf doch nicht so davon! Das ist ja gar nicht König Löwenmörder, das ist ja nur ein Schakal!« Der Löwe sagte: »Nun dann komm! Wir wollen beide miteinander gehen!« Darauf band der Löwe des Affen Schwanz und seinen eigenen Schwanz zusammen, und dann machten sie sich auf den Weg. Der Schakal sah sie herankommen, und schon hatte er wieder eine List ersonnen. »Bravo, bravo, Wesir! Ich muß dich loben! Eine treffliche List hast du dir ausgedacht, durch die du den Feind gefesselt herbeibringst, damit er uns nicht entwische! Bring ihn nur geradenwegs zu mir und warte mit ihm im Schatten dieses Baumes!« So rief der Schakal. Der Löwe aber lief davon. Da nun aber die Schwänze der beiden in einem fest verschlungenen Knoten miteinander verknüpft waren, so schlug, wenn der Löwe zog, der Affe an die Steine an, und wenn der Affe zog, so schlug der Löwe an. Und indem sie das taten, schlugen beide so lange wieder und wieder an, bis sie beide starben. Da wurde dort die Sanskritstrophe gesprochen: »Vom Affen« usw.

Der König mit der Schlange im Leibe

Und die verächtlichsten Menschen, welche gegenseitig ihre Blößen verraten, die gerade gehen zugrunde: Schlangen im Termitenhügel und im Bauch.
In einem Lande lag eine Stadt Wīrpurī, in welcher einst ein König Wīrsēn regierte. Einst hatte der König zur Nachtzeit eine süße Speise gegessen, und infolgedessen überkam ihn, als er schlafen gegangen, zur Zeit der Mitternacht der Durst. Da holte er einen Krug, der unter seinem Bette stand, hervor, um Wasser zu trinken. Der Krug hatte offen dagestanden. Eine Schlange hatte während der Nacht in dem Zimmer Junge bekommen und hatte die Kleinen aufgefressen. Ein Schlänglein aber war entronnen, und als es entronnen war, war es in diesen Wasserkrug gekrochen. Indem nun der König das Wasser trank, schluckte er das Tierchen mit hinunter. Doch davon merkte er nicht das geringste. Als sich aber die Schlange in seinem Leibe befand, begann sie zu wachsen. Alle sagten, bei dem König habe sich ein Wasserbauch gebildet. Eine Menge Heilmittel wurden angewandt, aber keine Gesundung trat ein. Als der König die Schmerzen nicht mehr zu ertragen vermochte, sagte er: »Ich will an die Gangā gehen und an einer ihrer heiligen Badestätten dauernd Wohnung nehmen.« Sein Kanzler traf die nötigen Vorbereitungen; dann machten sie sich auf die Reise. Nachdem sie einen Tagesmarsch zurückgelegt hatten, schlugen sie in eines Dorfes Nähe am Ufer eines Flusses ihre Zelte auf. Es war in der Sommerszeit; den König überkam der Schlaf. Dabei öffnete sich sein Mund und blieb offen stehen. Der Kanzler aber saß dem König zur Seite und hing seinen schweren Sorgen nach. Da steckte die Schlange ihr Gesicht aus des Königs Mund und begann, Luft zu schlucken.
Nun wohnte in dem Boden, auf welchem das Zelt stand, gleichfalls eine Schlange. Diese roch die andere Schlange und kam aus ihrer Höhle hervor. Sie gewahrte die Schlange, welche sich in des Königs Munde befand. Kaum hatte die Erdschlange die andere gesehen, so sagte sie zu ihr: »Schäm dich, du Schlechte! Du bist dem König in den Leib gekrochen. Dieser König aber ist der Ernährer der Dreiwelt. Weshalb bereitest du ihm solche Pein? Du bist kein echter Kschatrija!« Da sprach die Bauchschlange im Munde des Königs: »Ich wohne, wo und wie es mir

beliebt. Und ich fürchte mich vor keinem!« Wiederum sagte die Erdschlange: »Hätte dieser König einen Kanzler in seinem Hause, so würde dieser dich durch wirksame Mittel schon heraustreiben.« »Wie könnte er mich denn hinaustreiben?« fragte die Bauchschlange. Die Erdschlange aber erwiderte: »Wenn er in ein Gemisch von gestoßenen Nußschalen und Abilī, einer aus Moschus, Sandel und Rosenwasser bestehenden Essenz, recht viel Salz mengt und dem König diese Mischung drei Tage lang zu trinken gibt, so stellt sich bei diesem von selbst Erbrechen ein; du aber verfaulst und verfaulst und gehst in kleinen Stückchen tot ab.« Da rief die Bauchschlange zurück: »Dummer Kerl! Du solltest ganz ruhig sein! Du sitzt auf einer Pfanne voll Goldmünzen. Wenn nur ein Kanzler da wäre, so würde er dich durch wirksame Mittel schon heraustreiben!« Die Erdschlange sagte: »Wie könnte er mich denn heraustreiben?« Die Bauchschlange entgegnete: »Wenn er eine ganze Pfanne voll Öl siedet und sie in deine Höhle gießt, so verbrennst du darinnen von selbst, und er kann sich die Pfanne herausholen.« In dieser Weise zankten sich die beiden Schlangen untereinander.
Der Kanzler aber hörte alles mit an. Darauf kehrten die beiden Schlangen in ihre Wohnungen zurück. Der König erwachte und sprach: »Laßt das Signal ertönen! Wir wollen weiterziehen!« Da sagte der Kanzler: »Ich will erst ein Heilmittel gegen dieses Unterleibsleiden versuchen; denn ich habe alle ärztlichen Kuren geprüft.« Sodann ließ der Kanzler aus der Ortschaft Nußschalen, Abilī und Salz holen. Das mischte er zusammen und gab es dem König zu trinken. Zwei- oder dreimal gab er ihm die Mischung zu trinken; da stellte sich bei dem König Erbrechen ein. Die in kleine Stückchen zerfallene Schlange wurde dadurch herausgespült und ging ab. Der Schmerz in des Königs Leib hörte auf, und die Heilung trat ein. Nun wollte er heimkehren. Da sagte der Kanzler: »Wir wollen doch unsere Reisekosten mitnehmen!« Darauf ließ der Kanzler aus dem Ort 22 Pfund Öl holen. Dieses Öl sott er und goß es in die Höhle der Schlange.

Die goldspendende Schlange

Ich bin tief betrübt, daß mein Edelstein zertrümmert ist, und du betrauerst deinen Sohn. Woher sollte bei gebrochenem Herzen Liebe kommen? Vorleser, schließe dein Buch.

Es war einmal eine Stadt namens Kāntī, in welcher ein König Kanajasēn regierte. In dieses Königs Haus verkehrte ein hochgelehrter Brahmane namens Dēwdatt. Der trug in dieses Königs Hause Erläuterungen vor[1]. Zuerst trug sie der Vorleser in der Einsamkeit vor, dann vor des Königs Umgebung. Schließlich hielt er seinen Vortrag vor dem König in Gegenwart des versammelten Hofes. So lagen die Dinge, als er einst im Garten einsam seinen Vortrag hielt, den er melodisch sang[2]. In diesem Garten wohnte eine Schlange. Es befand sich nämlich eine goldgefüllte Pfanne in ihm, und auf dieser Pfanne hauste sie. Diese Schlange vernahm den Vortrag des Vorlesers, seine Stimme, seinen melodiösen Gesang. Da kam sie heraus und begann seiner Übersetzung zu lauschen. Weil sie aber unter dem Zauber seiner Stimme stand, nahm sie ein Goldstück in ihren Mund und legte es vor dem Vorleser nieder. Dann kroch sie wieder in ihre Höhle. Am folgenden Tage hielt der Vorleser an demselben Orte vor der Schlange einen besonders langen Gesangsvortrag, und wieder legte die Schlange eine Goldmünze vor dem Vorleser nieder. Von nun an hielt er diese Vorlesung Tag für Tag immer am frühen Morgen. So kam es, daß sich die Schlange näher zu dem Vorleser setzte, als sonst zu den Menschen; und wenn sie sich entfernte, gab sie ihm stets ein Goldstück. Von dieser Geschichte aber wußte kein Mensch etwas außer dem Vorleser. So standen die Dinge, als zu dem Brahmanen — in einem anderen Dorf wohnte des Vorlesers Bruder; in dessen Haus stand eine Hochzeit bevor, denn er verheiratete seinen Sohn — daß dieser Brahmane kam, um Dēwdatt einzuladen. Dēwdatt sagte: »Ich kann nicht kommen. Ich muß dem König vortragen.« Denn Dēwdatt gelüstete es nach den Goldstücken. Er ging darum nicht mit, wollte aber die Geschichte vor niemand ruchbar werden lassen. Deshalb sagte Dēwdatt: »Nimm deine Schwägerin und deinen Neffen mit! Ich aber kann nicht kommen.« Sein Bruder jedoch ging zum König und sagte

1 d. h. erläuternde Übersetzungen des Mahābhārata und der Purānen 2 über das Singen der in Versen geschriebenen indischen Texte s. Vf. WZKM. 18, 63 ff.

zu ihm: »Gebt meinem Bruder Urlaub!« Und der König sagte zu Dēwdatt: »Du kannst gehen.« Da nahm Dēwdatt, der einen 25jährigen Sohn hatte, welcher sehr gelehrt war, diesen Sohn mit in den Garten. An dem Ort, an dem sich die Schlange befand, ließ er seinen Sohn den Vortrag halten. Die Schlange freute sich; sie kam und setzte sich zu ihm. Der Vater sagte zu seinem Sohn: »Das darfst du nicht ausplaudern! Täglich sollst du die Vorlesung halten. Die Schlange gibt stets ein Goldstück dafür. Aber laß vor keinem Menschen etwas davon verlauten!« So ermahnte er ihn, und die Schlange spendete die Goldmünze. Dēwdatt machte sich mit seiner Familie auf den Weg; sein Sohn aber blieb zurück und hielt beständig vor der Schlange seinen Vortrag, und dann erst hielt er ihn vor dem König. So vergingen drei Tage. Da dachte des Gelehrten Sohn in seinem Herzen: »Sie gibt mir immer ein Goldstück. Daraus kann man schließen, daß sie eine große Pfanne voll Goldmünzen besitzt. Da will ich mir doch diese Pfanne herausholen.« Solch unreifen Plan entwarf er. Sodann nahm er eines Tages einen Stock, verbarg ihn unter seinem Sitzteppich und begann seinen Vortrag. Als dieser zu Ende war, legte die Schlange ein Goldstück nieder; dann schickte sie sich an, in ihre Höhle zu kriechen. Da schwang der Gelehrte seinen Stock auf die Schlange und traf sie auf den Kopf. Davon zerbrach ihres Kopfes Edelstein. Da ward die Schlange zornig, kehrte um und biß den Gelehrten, und als sie ihn gebissen hatte, kroch sie in ihre Höhle. Der Gelehrte aber mußte sterben. Nach zehn Tagen kam der [alte] Gelehrte zurück. Er nahm seinen Vortrag vor der Schlange wieder auf. Da rief ihm die Schlange aus ihrer Höhle zu. Die Schlange sprach die Sanskritstrophe: »Ich bin tief betrübt, daß mein Edelstein zertrümmert ist« usw.

Wie Bhānu seine verstorbene Frau heiratete

Der Kanzler Bhānu und seine geliebte Gemahlin Saraswatī: sie starb durch des Königs Fürwitz. Er ging nach der Gangā und erlangte sie wieder. Wenn der Mensch am Leben bleibt, so sieht er Hunderte von Glücksfällen.

In einer Stadt namens Trambāwatī regierte einst ein König Tāmratschūd. An dessen Hofe war ein Kanzler, welcher Bhānu hieß, und in Bhānus Hause lebte dessen Gemahlin Saraswatī. Beide waren durch innige Liebe miteinander verbunden. Sooft der Kanzler an des Königs Hof oder in anderen Geschäften ausging, ergriff ihn seine Frau am Saume seines Gewandes und fragte ihn: »Wann wirst du wiederkommen?« Wenn aber Bhānu zu der Zeit nicht zurückkehrte, die er angegeben hatte, ward die Frau von der Liebe dermaßen gepeinigt, daß es ihr war, als ob ihr letztes Stündlein geschlagen hätte. So groß war die Liebe dieser Frau. Die Kunde davon verbreitete sich in der ganzen Stadt. Auch der König vernahm sie. Als nun eines Tages der König inmitten seines versammelten Hofes saß und davon gesprochen wurde, sagte er: »Wir werden ja sehen; die Frau raubt ihrem Gatten sein Herz nur durch Heuchelei.« Der König sagte: »Ich werde die Frau auf die Probe stellen.« Darauf kam der Kanzler Bhānu, nachdem er seiner Gemahlin als Zeit seiner Rückkehr die erste Wache des Tages genannt hatte, und ließ sich neben dem König nieder. Während er noch dasaß, schlug es die erste Wache. Da wollte sich der Kanzler erheben; doch der König sagte: »Steh nicht auf! Wir haben noch einige Staatsgeschäfte zu beraten.« Sie begaben sich also in den Palast und setzten sich zur Beratung nieder. Des Kanzlers Geist aber weilte nicht an dem Orte. Der König fragte: »Wie kommt es, daß du so zerstreut bist?« Der Kanzler erwiderte: »Herr! Meine Frau wird daheim ohne mich sterben. Ich hatte ihr die erste Wache als Zeit meiner Rückkehr genannt. Wenn ich nun nicht gehen darf, so wird sie deswegen, von Liebe gepeinigt, in große Aufregung geraten.« Der König sagte: »Davon stirbt kein Mensch.« Indessen schickte die Frau von daheim ein Mädchen. Das Mädchen fragte den Türhüter: »Wo ist der Kanzler?« — »Der Kanzler sitzen mit Sr. Majestät dem König drinnen und beraten.« Das Mädchen kehrte heim, und als es angekommen war, sagte es zu der Frau:

»Der Kanzler sitzen mit Sr. Majestät dem König drinnen und beraten.« Da sandte die Frau das Mädchen abermals. So sandte sie es viermal. Beim fünften Male befahl der König dem Kanzler, seine Kleider auszuziehen. Diese Kleider ließ er mit dem Blute einer Ziege bestreichen und schickte sie mit einem seiner eigenen Mädchen hinaus. Dieses sagte zu dem Mädchen des Kanzlers, indem es ihm dieselben gab: »Der König hat den Kanzler hinrichten lassen. Hier sind des Kanzlers Kleider.« Das Mädchen nahm die Kleider und händigte sie der Gemahlin des Kanzlers ein. Es sagte: »Der König hat den Kanzler hinrichten lassen.« Kaum hatte Saraswatī diese Worte gehört, so starb sie. Der Scherz hatte sich in Trauer gewandelt. Sobald der König davon erfuhr, ward er sehr betrübt. Der Kanzler aber sagte zum König: »Jetzt werde ich mit meinem Weibe den Scheiterhaufen besteigen!« Doch der König erwiderte: »Eines solchen Wortes muß ein Mann sich schämen. Ich will dich mit einem wahren Juwel von einer Jungfrau aus einem gebildeten, vornehmen Hause vermählen. Nur insoweit trifft mich eine Schuld, als ich den Tod deiner ersten Frau veranlaßt habe. Du sollst auch ferner mein Kanzler bleiben.« Der Kanzler indessen entgegnete ihm: »Für mich sind in diesem Dasein alle Frauen außer jener nur noch Mütter und Schwestern.« So lautete das Gelübde, das er ablegte. »Ich bedarf keines Hauses mehr.« Da wollte ihn der König auf andere Gedanken bringen und redete ihm zu: »Wenn du mir versprichst, dir nicht das Leben zu nehmen, so will ich dich entlassen.« Darauf sagte der Kanzler: »Gut! Ich will mir das Leben nicht nehmen; aber dann ziehe ich in die Fremde.« So sagte er, ließ allen seinen Besitz im Stiche und zog in die Ferne. Er begab sich geradenwegs an die Gangā, ließ sich dort eine Hütte bauen, lebte keusch, saß am Ufer der Gangā und kasteite sich. Soweit die Geschichte des Kanzlers.

Nun vernehmet auch die Geschichte seiner Frau! Nachdem die Frau gestorben war, stieg sie, Saraswatī, von dort aus nieder in den Leib Kanaksēnās, der gekrönten Königin Kanakkētus, welche dort herrschte, wo sich der Kanzler Bhānu in Kāsī am Ufer der Gangā kasteite. Als die Königin nach Ablauf der Monate niederkam, ward ihr eine Tochter geboren, welche den Namen Schrīmatī erhielt. Mit der Zeit wuchs sie heran, bis sie 12 Jahre alt wurde. Dem Kanzler aber waren gleichfalls bei seiner Askese am Ufer der Gangā 12 Jahre vergangen. Nun pflegte sich Prinzessin Schrīmatī mit ihren Freundinnen in ein Boot zu setzen und sich auf der Gangā zu belustigen. Als sie sich eines Tages so vergnügte, gewahrte sie Bhānus Hütte. Schrīmatī fragte die Freundinnen, die sich bei ihr befanden: »Was ist das, das sich dort zeigt?« Die Freundinnen antworteten ihr: »Hier sitzt ein Asket und kasteit sich.« Darauf sagte Schrīmatī: »Wohlan! Lasset uns gehen, ihm unsere Verehrung zu bezeigen!« Sie ging also mit ihren Freundinnen, ihn zu sehen. Schrīmatī sah den Asketen; kaum aber hatte sie ihn erblickt, so fiel sie in Ohnmacht. Es war ihr nämlich die Erinnerung an ihr voriges Dasein gekommen; sie erinnerte sich ihrer vergangenen Existenz: »Dies ist der Kanzler Bhānu, mein Gemahl in meinem vorigen Erdenleben.« Als sie wieder zu sich kam, stand sie auf, sprach kein Wort, eilte geradenwegs nach Hause und sagte dort zu ihrer Mutter: »Vermähle mich!« Ihre Mutter sagte: »Wenn wir einen recht großen König finden, der einen Sohn hat, so wollen wir dich diesem Sohn vermählen.« Schrīmatī erwiderte ihrer Mutter: »Was redest du da? Hab' ich doch meinen Gatten bereits gewählt!« Die Mutter fragte: »Wo ist denn dein Gemahl?« Schrīmatī antwortete ihrer Mutter: »Am Ufer der Gangā sitzt ein Asket und kasteit sich. Den müßt ihr mir vermählen.« Da schalt ihre Mutter sie. Der König kam hinzu. Die Königin sagte zum König: »Unsere Tochter sagt: ›Vermählt mich!‹« »Schön«, sagt der König; »ich werde mich nach einem Königssohn umsehen und sie ihm zur Ehe geben.« Schrīmatī aber sagte zu ihrem Vater: »Mein Gatte sitzt am Ufer der Gangā und kasteit sich. Dem gebt mich zur Gemahlin!« Da ward auch der König zornig auf seine Tochter; aber seine Tochter sprach: »Jeder andere Mann ist in meinen Augen ein Bruder oder ein Vater.« Der König fragte: »Was kannst du dir denn an diesem Asketen ersehen?« Schrīmatī entgegnete ihm: »Er ist mein Gatte aus meinem früheren Dasein.« Schrīmatī sagte: »Ladet ihn ein in unser Haus; dann will ich euch alles erzählen.« Der König lud den Asketen in sein Haus ein, was ihm nur durch heftiges Drängen gelang. Darauf redete Schrīmatī. Sie erzählte ihrem Vater unter vier Augen alles, was sie in ihrem vorigen Dasein erlebt hatte. Der König aber fragte den Asketen nach denselben Dingen; und genauso, wie seine Tochter sie erzählt hatte, erzählte sie der Asket dem König. Da mußte der König die ganze Geschichte glauben und vermählte Schrīmatī mit dem Asketen. Dann schenkte er seinem Schwiegersohn viel Geld und Grundbesitz. Eines Tages sagte dieser zum König: »Wenn Ihr befehlt, so möchte ich mich aufmachen, um meinen früheren Herrn einmal zu besuchen.« Sein Schwiegervater sagte: »Geht und kommt bald wieder!« Da ward ein großes Heer gebildet, und Schrīmatī ward in eine Sänfte gesetzt und mitgenommen. Dann machte sich Bhānu auf und kam nach Trambāwatī. Vor der Stadt ließ er alle Instrumente spielen und so Schrecken verbreiten. König Tāmratschūd sandte einen Boten: »Wer ist der König, der da gekommen ist?« Bhānu ließ ihm wiedersagen: »Ich bin angekommen, Euer Kanzler Bhānudatt.« Darauf nahm Bhānudatt ein Geschenk, trat vor König Tāmratschūd und fiel ihm zu Füßen. Der König fragte ihn: »Ihr hattet doch gesagt: ›Für mich sind hinfort alle anderen Frauen Mütter und Schwestern?‹« Da berichtete der Kanzler dem König und erzählte ihm alles, was sich ereignet hatte. Als das der König vernahm, freute er sich.

Vertrau keinem Weib ein Geheimnis an

Weibern soll man kein Geheimnis preisgeben, selbst wenn einem das Leben schon in der Kehle stände; wie die Schlange Pundarīka vom Vogelkönig getötet ward.

Es war einmal eine Stadt Dhārāwās. In dieser regierte einst ein König Wairsimh. In ihr wohnte auch ein Brahmane namens Sōmscharmā, der alle vorgeschriebenen Riten beachtete, rein und wēdenkundig war. Der lehrte die anderen Brahmanen den Wēda. Im Garuda-Purāna findet sich eine Dichtung, welche erzählt, wie Garud acht Schlangenfamilien verzehrte und wie Pundrīk, das Haupt der neunten, entrann. Nachdem er aus der Unterwelt geflüchtet war, gelangte er auf die Erde und nahm zum Schein das Äußere eines Brahmanen an.

Darauf begab er sich in die Stadt Dhārāwās, in das Haus des Brahmanen Sōmscharmā, begann mit diesem über wissenschaftliche Fragen zu disputieren und ließ es sich angelegen sein, ihm die vier Wēden zu erklären. Der Brahmane erhob sich und legte seine Hände zusammen: »Ich war bisher der Meinung, außer mir sei niemand, welcher die Wēden zu erläutern verstünde; du aber bist doch ein größerer Gelehrter!« Darauf behielt er den Brahmanen in seinem Hause. Dieser Brahmane badete zu Mittag: er beobachtete die Morgen-, Mittags- und Abendriten, brachte die täglichen Manenspenden dar, verrichtete die vorgeschriebenen Gebete, setzte sich nur auf einen Sitz, wenn dieser der Vorschrift entsprach, badete selbst, legte sich ferner bestimmte Beschränkungen auf, spülte sich den Mund, sagte dann: »Der heilige Wischnu ist mir gnädig« und nahm dann sein Mahl genau der Vorschrift entsprechend ein. Der Brahmane Sōmscharmā sah also, daß er aufs peinlichste alle vorgeschriebenen Riten beobachtete, und behielt ihn darum bei sich. Der fremde Brahmane ging nun in die Stadt und hielt Vorträge aus den Purānen, hielt Vorträge aus den Gesetzbüchern, und das Geld, das ihm dafür eingehändigt ward, das brachte er dem Brahmanen Sōmscharmā und schenkte es ihm. In dieser Weise verging eine geraume Zeit. Nun lebte in Sōmscharmās Hause dessen Tochter, die groß und heiratsfähig geworden war. Er hatte gesehen, daß jener ein vorzüglicher Brahmane war, der alle Riten streng beobachtete. Darum sagte er eines Nachts zu seiner Frau: »Unser Töchterchen ist groß geworden. Wenn dir's recht ist, so wollen wir sie dem großen Brahmanen vermählen, der in unserm Hause wohnt und gegen dessen rituelles Leben nichts einzuwenden ist.« Seine Frau sagte: »Was dir recht ist, das ist mir von vornherein recht.« Also sagte am nächsten Morgen beim Zähnereinigen Sōmscharmā zu jenem: »Laß uns Verwandte werden!« Der Brahmane sagte: »Wie könnte ich Eure Tochter heiraten? Ich bin ein Fremdling. Ihr wollt mir Eure Tochter geben. Wie ist das möglich? Ihr wißt ja gar nicht, ob ich nicht ein gemeiner Mensch bin, und trotzdem wollt Ihr mich, ohne mich zu kennen, zu Eurem Eidam machen!« Aber Sōmscharmā entgegnete: »Ich habe dich an deinem Wandel erkannt. Heirate sie nur!« Da überlegte es sich der andere und dachte: »Ich heirate sie.« Und der Brahmane vermählte sich mit ihr und lebte nun im Genusse der ehelichen Freuden. Inzwischen aber flog Garud, der göttliche Adler und Feind der Schlangen umher, indem er eifrig nach ihm suchte. Indem er suchte und suchte, kam er auch nach Dhārāwās. Dabei hatte Garud eine andere Gestalt angenommen. Eines Tages gingen die Frauen dieser Stadt nach dem See, um Wasser zu holen, und mit ihnen ging auch Pundriks Frau dorthin. Die älteren Frauen unterhielten sich eifrig miteinander; sie lobten eifrig untereinander eine jegliche ihren Gemahl und dessen väterliches Haus. Die eine sagte: »Das Vaterhaus meines Gatten ist das vornehmste.« Eine andere sprach: »Wer sollte das Haus nicht kennen, aus dem mein Gatte stammt?« Diejenige Brahmanin aber, welche ihr Vater dem zugewanderten Fremdling gegeben hatte, ward sehr betrübt, als sie diese Unterhaltung mit anhören mußte. Als sie darum in der nächsten Nacht mit ihrem Gemahl allein war, fragte sie ihn: »Sagt mir, o Herr, aus welcher Familie stammt Ihr? Und wer sind Eure Eltern?« Da sagte ihr Gatte: »Weshalb fragst du mich danach erst jetzt, nach der vollendeten Tatsache?« Seine Frau aber bestand hartnäckig auf der Beantwortung ihrer Frage. Und liebesblind wie er war, hub er an und sprach: »Wenn ich dir's sage, so wird über mich und dich das Unheil kommen, wenn die Sache nicht in deinem Herzen verschlossen bleibt.« Seine Frau erwiderte: »Sagt mir nur, wem man seines Mannes Geheimnis enthüllen sollte!« Da entgegnete er: »Ich stamme aus der Schlangenwelt und heiße Pundrīk. Ich habe meine Gestalt gewandelt, bevor ich hierhergekommen bin. Auf deines Vaters Veranlassung habe ich dich geheiratet.« Das wollte ihm aber seine Frau nicht glauben. Da zeigte ihr Pundrīk seine wahre Gestalt, nämlich die eines

Schlangengottes. Jetzt glaubte ihm seine Frau. Da nahm er wieder die Brahmanengestalt an. Pundrīk sagte: »Verrate aber diese Geschichte keinem Menschen!« – »Gewiß nicht, Herr! Niemandem sag' ich's!« Am nächsten Morgen aber ging Pundrīks Frau wieder an den See, um Wasser zu holen. Da konnte sie's nicht über sich gewinnen, nicht zu ihren Freundinnen zu sagen: »Eure Männer sind nur menschliche Wesen; ich dagegen habe einen Gemahl, der stammt aus der Schlangenwelt; er ist der Schlangengott Pundrīk.« Gerade saß Garud in der winzigen Gestalt, die er angenommen hatte, auf einem Pīpalbaum. So kam es, daß er diese Worte hörte. In Gestalt eines winzigen Sperlings setzte er sich auf den obersten Krug, den die Frau trug und gelangte so in ihr Haus. Pundrīk war gerade daheim. Die Frau wollte ihre Krüge absetzen; aber Garud bannte diese Krüge fest, so daß sie nicht von ihrem Kopfe zu bringen waren. Da rief die Frau: »Herr, nehmt mir meine Krüge ab; ich bringe sie nicht herunter.« Pundrīk erschrak in seinem Herzen: »Garud hat die Krüge gebannt. Sicher! Hab' ich doch in vergangener Nacht vor meiner Frau mein Geheimnis ausgeplaudert!« Darum blieb Pundrīk im Zimmer, rief ihr aber zu: »Zerbrich die Krüge!« Aber die Krüge waren unzerbrechlich, denn Garud hatte sie gebannt. Und nun machte sich Garud schwer, so schwer, daß er ihr den Hals zu brechen drohte. Da eilte Pundrīk von drinnen herbei, seiner Frau zu Hilfe. Garud heftete seinen Blick auf ihn. Da stürzte Pundrīk zu Boden. Als er niedergefallen war, sprach er die Sanskritstrophe: »Weibern soll man kein Geheimnis preisgeben«, zu Garuds Nutz und Frommen. Garud hörte die Lehrerstrophe, welche ihm von Pundrīk mitgeteilt worden war. Er glaubte zwar, Pundrīk habe die Strophe für sich selbst gesprochen, prägte sie sich aber trotzdem ein. Darauf begann Garud, seine Andacht aufzugeben. Da sagte die Frau: »Sprechet die Sanskritstrophe:

›Wer denjenigen, welcher ihm auch nur eine Silbe geschenkt hat, nicht als seinen Lehrer betrachtet, der wird nach hundertmaligem Aufenthalt im Mutterleib von Hündinnen sogar unter den Kastenlosen wiedergeboren.‹«

Diese Strophe hörte Garud und gewährte der Frau Freiheit von Witwenschaft.

Die kluge Ziege

Bei einem Niedrigen suche man keinen Schutz; bei einem Großen soll man Schutz suchen. Weil sich die Ziege an den Löwen anschloß, stieg sie dem Elefanten aufs Haupt.

Es war einmal eine Stadt Wisālā, in welcher einst ein König Wischwasēn regierte. In dieser Stadt wohnte ein Ziegenzüchter Dēhal; der hatte 200 Ziegen. Dieses Dēhal Bruder trieb die Ziegen auf die Weide. Als er einst wieder einmal die Ziegen geweidet hatte, trieb er sie am Abend nach der Stadt ein. Seine Herde war groß; da blieb eine Ziege auf der Trift zurück. Der Hirt hatte alle Ziegen davongetrieben. Da kam ein Elefant an die Ziege heran. Der Elefant fragte sie: »Wer bist du?« Die Ziege gab zur Antwort: »Ich bin des Löwen Mutterschwester. Sorge dafür, daß ich in die Stadt gelange!« Weil der Elefant sie nun für die Tante des Löwen hielt, so faßte er sie mit seinem Rüssel und hob sie auf die Höcker seines Kopfes. Dann ging er an das Stadttor und setzte sie in die Stadt hinein. Gerade hatte sich der Ziegenzüchter Dēhalō auf den Weg gemacht, um nach der Ziege zu sehen; da kam sie ihm entgegen. »Wo bist du denn gewesen?« fragte sie Dēhal. Die Ziege gab ihm zur Antwort: »Ich hatte mich verirrt. Da stieß ich auf einen Elefanten und dachte: ›Der Elefant wird mich umbringen.‹ Er fragte mich: ›Wer bist du?‹ Ich gab ihm zur Antwort: ›Des Löwen Mutterschwester‹ und sagte: ›Lade mich zu einem Ritt ein!‹ Da lud mich der Elefant ein, hob mich auf seinen Kopf und brachte mich hierher. Und nun hab' ich Euch hier getroffen.« Da sprach ein Gelehrter, welcher dabeistand, die Sanskritstrophe: »Bei einem Niedrigen suche man keinen Schutz« usw.

König Nand und sein Minister Sakdāl

Nachdem darauf am 50. Tage Prabhāwatī die 16 Arten des Schmuckes angelegt hatte, hatte sie die Absicht, einem fremden Manne ihre Liebe zu schenken. Als sie gehen wollte, fragte sie den Papageien. Der Papagei sagte: »Geht nur! Aber geht nur dann, wenn Ihr Verstand besitzt, wie Sakdāl.« Da sagte Prabhāwatī: »Wie zeigte denn Sakdāl seinen Verstand?« Darauf erzählte der Papagei:

Es gibt eine Stadt Nandpur; in dieser lebten ein König Nand, sein Sohn, Prinz Hemnand, und sein Kanzler Sakdāl. Sakdāl war klug, gelehrt, sehr fromm, redete nie ein unwahres Wort und verstand sich auf Entscheidungen, wie sie die Klugheitslehre erfordert. Dieser Kanzler hatte das ganze Reich in seine Gewalt gebracht. Der König wußte, daß sein Kanzler sehr klug war. Was der Kanzler wollte, das tat er nicht. »Wenn der Kanzler dem König gleich wird, so heißt es, daß dann entweder der König den Kanzler tötet oder der Kanzler den König.« So dachte der König, warf ihn samt seiner Familie in einen licht- und wasserleeren Brunnen ins Gefängnis und machte jemand anders zu seinem Kanzler.

Niemand wußte, was aus Sakdāl geworden war. Vier bis fünf Jahre vergingen; der König hatte ihn ganz vergessen, und niemand sprach von ihm. Da sandte der König von Bengalen, um ihn auf die Probe zu stellen, zwei Stuten, die waren einander ganz gleich, eine so groß und stark wie die andere, und dabei ließ er sagen: »O König, der du die Säule des Hauses Nand bist! Deine Hofversammlung ist groß, und du bist groß. In deiner Hofversammlung wird alles geprüft. Sei so gut und prüfe diese beiden Stuten und sende mir sie zurück. Prüft Ihr sie nicht, so werdet Ihr künftig als großer Dummkopf gelten. Prüfet also, welche von beiden die Mutter und welche die Tochter ist, und sendet mir den Bescheid.«

Mit dieser Botschaft überbrachte der Bote des Königs von Bengalen die beiden Stuten. Es dauerte einen Monat, aber dem König fiel keinerlei Lösung der Frage ein. Da ward er sehr bekümmert: »Ich bin bloßgestellt auf dem ganzen Erdenrund.« Er wußte durchaus nicht, wie er entscheiden sollte, und wußte keinerlei Auskunft zu geben. Da ward der König ganz unglücklich und sagte: »Hätt' ich jetzt meinen Kanzler Sakdāl; der würde alles entscheiden können. Ich bin in der größten Angst, daß meine Herrschaft auf dem Spiele steht.« Er sagte: »Ich habe meine Diener, meinen Kanzler, meine Minister gefragt; keiner aber hat eine Ahnung, welche die Mutter und welche die Tochter ist.« Darauf fragte er die, welche sich bei ihm befanden: »Ist von Sakdāls Familie noch jemand irgendwo vorhanden?« Ein Diener antwortete ihm: »Vielleicht im Gefängnis!« Der König ließ Erkundigungen einziehen: »Seht im Gefängnis nach!« Sakdāl war ganz schwach und verfallen und befand sich in solchem Zustand, daß er gar nicht wiederzuerkennen war. So traf ihn der Diener an. Da nahm er ihn sogleich mit zum König. Der König empfing ihn mit Höflichkeit und Ehrerbietung, verlieh ihm wieder das Kanzleramt und beschenkte seine Angehörigen, so daß sie zufrieden waren. Dann sagte der König: »Du bist der Herr in meinem Reiche; aber, Sakdāl, eine große Sorge ist über mich gekommen. Zwei Stuten sind aus dem Lande Bengalen gekommen; niemand kann sagen, welche die Mutter und welche die Tochter ist. Du mußt es herausbekommen, damit unser Ruhm nicht verblaßt.«

Als Sakdāl das hörte, sagte er: »Das soll geschehen!« Hier fragte der Papagei Prabhāwatī: »Wie hat er herausbekommen, welche die Mutter und welche die Tochter war?« Prabhāwatī sagte: »Ich weiß es nicht.« Darauf sagte der Papagei: »Der Kanzler gebrauchte eine List. Er ließ die beiden Stuten von zwei Reitern reiten. Nachdem er sie zwei Kōs (eine viertel indische Meile) hatte laufen und außer Atem bringen lassen, ließ er sie nebeneinanderstellen. Da nun die Mutter merkte, wie abgehetzt die Tochter war, traten ihr die Tränen in die Augen; sie leckte ihre Tochter und rieb sie dann ab. Die Tochter aber legte ihr Maul an die Zitzen der Mutter. Dann ging er mit ihnen zur Zeit des Vieheintreibens ans obere Ende des Dorfes und ließ sie los. Da kam die Mutter zuerst nach dem Ort. Auf diese Weise prüfte Sakdāl, welche die Mutter und welche die Tochter war. Da freute sich König Nand. Er schickte die Stuten mit genauen Angaben nach dem Lande Bengalen und stellte damit den König zufrieden. Darauf erwies der König Nand seinem Minister die fünffache Gnade und machte ihn zum alleinigen Oberherrn. – Als Prabhāwatī diese Erzählung gehört hatte, legte sie sich schlafen.

Der König und sein Freund

Am 67. Tage hatte Prabhāwatī die 16 Arten des Schmuckes angelegt und konnte es kaum erwarten, dem fremden Manne ihre Liebe zu gewähren. Als sie gehen wollte, sagte sie fragend zum Papageien: »Ich bin im Begriffe zu gehen.« Der Papagei sagte: »Geh nur! Doch vernimm zuvor die Geschichte von dem König, welcher seinen Freund aus dem Unglück rettete.«

Es gibt eine Stadt namens Rādschgrahī. In dieser herrschte einst ein König Manrandschan; der hatte einen Prinzen, welcher Manōhar hieß, und sein Kanzler hieß Karmschrēscht.

In derselben Stadt wohnte ein Kaufherr namens Schrīpāl, welcher einen Sohn Wīrarādsch besaß. Der war sehr gescheit, und als er seine Schulbildung vollendet hatte, heiratete er. Seine Gemahlin hieß Madanmandscharī; sie war ebenso schön wie klug, besuchte aber fremde Männer und lebte im ständigen Ehebruch mit einem Kaufmann.

Nach einiger Zeit starb der Kaufherr Schrīpāl und sein ganzes Vermögen befand sich gerade in der Fremde. Er hatte auf einmal 60 Wagen befrachtet, und die waren noch draußen. So war kein Vermögen mehr da, und Wīrarādsch war in Not.

Er ging nach dem Markte der Juweliere, auf welchem er nun beständig zu finden war, und befreundete sich mit ihnen. Da gab ihm einer gläserne Armbänder, Korallen, Nadeln und ähnliche Waren und sandte ihn aus, sie zu verkaufen; und Wīrarādsch nahm von dem Juwelier einen Sack, ging damit auf die Nachbardörfer, um seine Waren abzusetzen, und kehrte immer erst nach vier bis fünf Tagen wieder heim.

Einst im Monat Dscheth (Mai/Juni), als gewaltige Hitze herrschte, gewahrte der Kaufmann auf dem Weideland einen Feigenbaum und setzte sich in seinen Schatten. Da kam ein König, von Hitze und Durst erschöpft, auf seinem Roß dahergeritten und sah unter dem Feigenbaum den Mann liegen, welcher die 32 glückverheißenden Zeichen am Körper trug. Darum stieg er an diesem Orte ab. Als Wīrarādsch den König so verdurstet sah, holte er ihm einen ledernen Wassersack voll Wasser; dann nahm er aus seinem Warenbeutel gezuckertes (?) und geröstetes Korn und andere Leckerbissen und gab sie dem König. Der König, welcher den ganzen Tag noch nichts gegessen hatte, verzehrte sie und legte sich erquickt im Schatten nieder, während der Kaufmann ihm Kühlung zufächelte und ihm die Füße massierte. Da fragte ihn der Fürst: »Höre, Kaufmann, man sieht dir's an, daß du ein Mann bist, dem Glück bestimmt ist. Wie kommst du denn hierher und befindest dich in dieser drückenden Lage?« – »Ich wohne in Rādschgrahī, o König, und mein Vater wohnte in derselben Stadt und ist im ganzen Lande bekannt. Er hatte zu Hause 60 Wagen befrachtet; sie zogen in die Fremde und sind dort verblieben, während daheim mein Vater starb. Das Vermögen war hin. So blieb mir nichts anderes übrig, als in dieser Weise meinen Lebensunterhalt zu verdienen.« – Da sagte der König: »Was soll ich dir geben, Kaufmannssohn? Du bist mein Freund geworden, bist mein Bruder geworden. Meine Residenz ist Manibhadrapur: dort mußt du mich besuchen. Und fragst du mich nach meinem Namen, ich bin König Widschaipāl. Von Rādschgrahī sind es dorthin drei Tagereisen; komm doch ja dahin! Dort ist mein Haus; ich stelle es dir ganz zur Verfügung.« Der Kaufmann erwiderte ihm: »Dein Anblick, König, wird mir Glück bringen; und was du tun willst, das ist mir recht.« Aber der König fragte den Kaufmann nochmals: »Hast du denn hier etwas Geld bei dir, lieber Freund?« Der Kaufmann entgegnete: »Jawohl, Herr, jetzt habe ich welches. Gib mir hundert Perlen.« Sofort gab sie ihm der König und gab ihm zugleich den guten Rat: »Wandere niemals deines Wegs allein!« Da sagte der Kaufmann: »Nimm das Hundert zurück und gib mir dafür noch einen guten Rat!« Damit gab er ihm das Hundert wieder; der König aber sprach: »Was dir mehrere sagen, das tu!« Und er fügte hinzu: »Teile keinem Weib ein Geheimnis mit!« Und endlich sagte er: »Wenn dir's schlechtgeht, so komm zu mir! Diese vier guten Ratschläge, die ich dir gegeben habe, mußt du aber auch befolgen.« Der Kaufmann sagte: »Das werde ich tun.« Dann sagte der König: »Für diese wenigen Worte habe ich mich von dir bezahlen lassen; wenn du sie aber nicht vergißt, so wirst du sehen, daß du ein gutes Geschäft gemacht hast. Und nun merke dir, was ich dir sage! Wenn du in meine Stadt kommst, so melde dich beim Türsteher, damit du bei mir vorgelassen wirst.« Nach diesen Worten kehrte der König heim, und auch der Kaufmann machte sich auf den Weg nach seinem Hause. Unterwegs fand er einen Igel; den band er in seinen Gewandsaum; dann ging er fürbaß, bis er einen Feigenbaum erblickte. Unter diesen legte er sich schlafen; denn die Nacht brach herein. Da kam aus ihrem Schlupfwinkel in demselben eine Schlange heraus und wollte ihn beißen. Doch der Igel zerriß das Gewand, kroch heraus und tötete die Schlange. Als der Kaufmann erwachte und sich umschaute, sah er, daß der Igel die Schlange vernichtet hatte. Da dachte er: »Der König hatte recht, als er mir riet, nicht allein zu gehen. Wäre der Igel nicht gewesen, so hätte mich die Schlange totgebissen. Der Rat, den er mir gegeben hat, hat sich als gut erwiesen.« Damit setzte er seinen Heimweg fort.

Als Prabhāwatī diese Geschichte gehört hatte, legte sie sich schlafen.

Am 68. Tage wollte Prabhāwatī den fremden Mann besuchen; als sie im Begriffe war zu gehen, fragte sie den Papageien. Dieser sagte: Höre erst, Prabhāwatī, was der Kaufmann weiter tat. Während der Kaufmann seines Weges weiterging, trat ein großer Regenguß ein, und es ging ihm übel; aber durch Gottes Schutz gelangte er schließlich an eine Stadt. Er ging hinein. Durchnäßt und erfroren, so sahen ihn die Bewohner. Da sagten die Kaufleute zu ihm: »Wir wollen dir einen Armreif geben, der hundert Rupien wert ist, gesticktes Tuch, Bettzeug und eine Bettstelle; du mußt aber einen fremden Kaufmann, welcher hier gestorben ist, forttragen und ins Wasser des Flusses werfen. Er hat durch Schicksalsfügung nach seinem Tode mit dem Kopf gewackelt. Das bedeutet Unheil, dem wir entgehen wollen.« Da dachte Wīrarādsch in seinem Herzen: »Der König hat zu mir gesagt: ›Was dir mehrere sagen, das tu!‹ Seinen ersten Rat hab' ich genau befolgt und bin dadurch am Leben geblieben, als die Schlange mich bedrohte. Darum muß ich auch diesen Auftrag ausführen.« Er ließ also den Sack, in welchem er seine Kästen hatte, in einem Laden zurück und trug den Leichnam fort. Um des Toten Hüfte war eine Geldkatze gebunden. Die nahm er und band sie um seine Hüfte. Dann badete er und ging, um nach seinem Sack zu sehen. Da dachten die Kaufleute: »Das ist ein außergewöhnlicher Mann; sonst wäre er nicht entkommen. Wo sollen wir ihm einen Ort zum Schlafen anweisen?« Da sagte ein Kaufmann: »Brüder, ich weiß einen geeigneten Ort; es ist jenes große Zimmer, in welchem sich eine Hängematte befindet.« Darauf gaben ihm die Kaufleute 100 Silberrupien und führten den Kaufmann in das Zimmer. Nachdem er seinen Leib durch ein Mahl gestärkt hatte, legte er sich in dem Zimmer schlafen. In der Nacht aber erscholl in dem Raume zweimal eine Stimme, welche sprach: »Ich falle! Ich falle!« Der Kaufmann sagte: »So fall doch!« Da fiel ein goldener Mann herunter. Der Kaufmann dachte: »Was ist denn da herabgefallen?« Als er nachsah, war es ein goldener Mann. Den nahm er, steckte ihn in seinen Sack und ging am nächsten Morgen weiter. Er ging fröhlich seines Wegs, nachdem er alles Geringwertige weggeworfen hatte.

Darauf sagte der Papagei zu Prabhāwatī: »Wer dem Rate achtungswerter Leute folgt, dem geht es gut, wie dem Kaufmann Wīrarādsch. So wird es auch dir gutgehen, wenn du meinem Rate folgst. Geh nicht, um dem fremden Mann gefällig zu sein; das würde dir Unglück bringen. Gehst du nicht, so wird es dein Glück sein.«

Als Prabhāwatī diese Geschichte gehört hatte, legte sie sich schlafen.

Am 69. Tage hatte Prabhāwatī die 16 Arten Schmuck angelegt und konnte es kaum erwarten, bis sie den fremden Mann besuchte. Als sie im Begriffe war zu gehen, fragte sie den Papageien: »Was tat denn nun der Kaufmann, Papagei?« – »Vernimm, Prabhāwatī!«

Der Kaufmann kam glücklich zu Hause an und händigte seiner Frau den goldenen Mann ein. Nachdem er nämlich den Reichtum erlangt, hatte er des Königs Ratschlag vergessen und vertraute seiner Frau sein Geheimnis an. Sie fragte ihn: »Wie seid Ihr denn zu dem Manne gekommen, o Herr?« Ihr Gemahl erzählte ihr die ganze Vorgeschichte von dem Mann, wie alles geschehen war. Noch in derselben Nacht kamen auch die 60 Wagen, welche sein Vater ausgesandt hatte und welche in der Fremde geblieben waren, in die Stadt Rādschgrahī zurück. Aus dem Wagenzug war einer vorangeeilt, um dem Kaufherrn Glück zu wünschen. Er begab sich nach dem Hause desselben und war nicht drinnen, als er sich schon am Torweg erkundigte, ob in Schrīpāls Hause alles wohl und munter sei. Die Leute, die sich da befanden, sagten zu ihm: »Der Kaufherr Schrīpāl hat das Zeitliche gesegnet. Sein Sohn Wīrarādsch ist noch da, lebt aber jetzt im Unglück.« Als das der Bote hörte, ward er traurig, und weinend ging er in das Haus. Da trat Wīrarādsch aus der Tür, traf seinen Diener und fragte ihn aus. Der Mann erzählte ihm alles: »Die sechzig Wagen sind mit reichem Gut beladen zurückgekehrt.« Der Kaufmann erkundigte sich, ob sich darunter auch Einzigartiges befände. Der Diener zog einen Sack hervor und zeigte ihm Samenkörner, welche derselbe enthielt, indem er sagte: »Dies sind Gurkensamen. Sobald man sie sät, fruchten sie auch.« Das wollte der Kaufherr nicht glauben. Da ließ der Diener ein Messer holen, machte damit einen Platz zurecht und steckte ein Samenkorn. Sofort keimte es; es entstand eine Ranke, Blüten setzten sich an, und die Früchte waren fertig. Als das der Kaufmann sah, war er hocherfreut und dachte: »Das muß ich meiner Frau zeigen!« Er rief sie, und Madanmandscharī kam. Der Diener grüßte sie; sie bot ihm ihren Gegengruß und sprach: »Unsere glückliche Zeit ist mit meinem Schwiegervater dahingegangen.« Der Diener erwiderte: »Grämt Euch nur nicht; es wird alles gut werden.« Der Kaufmann sagte: »Händigt meiner Frau diese Samenkörner ein!« Die Frau erwiderte: »Was soll ich denn mit dem Samen anfangen?« Der Kaufmann sagte: »Sobald man ihn sät, entsteht auch schon die Frucht.« Da das die Frau nicht glauben wollte, ward ein Korn gesteckt und ihr die Sache gezeigt. Das sah sie mit Freuden.

Darauf sagte der Kaufmann zu seinem Diener: »Da dieser Samen an keine Zeit gebunden ist, so will ich ihn dem König schenken.« Darauf gab er seinem Diener eine Betelrolle und schickte ihn zu den Wagen zurück. Der Kaufherr und seine Frau freuten sich und pflogen miteinander der Liebe in den 84 Stellungen. Darauf schlief der Ehemann ein. Da nahm die Frau Samenkörner aus dem Sack und ging zu ihrem Buhlen. Nachdem sie mit ihm in den 84 Stellungen der Liebe gepflegt hatte, erzählte sie ihm die Geschichte von der Karawane: »Die Wagen sind zu meinem Gemahl zurückgekehrt.« Da sagte ihr Buhle: »Was enthalten sie denn?« – »Vernehmt, o Herr! Gold und Silber.« – »Und was ist denn noch drin?« – Sie zeigte ihrem Buhlen Schrīwant die Samen: »Wenn man diese Körner steckt, so entstehen sofort Früchte aus ihnen.« Das glaubte der Buhle nicht. Da steckte sie sie und zeigte es ihm: die Früchte entstanden sofort. Darüber war ihr Buhle sehr erstaunt: »Weib! Du wirst mich wohl nun nicht mehr kennen wollen?« – »Herr! Dieser mein Leib gehört doch dir!« – »Dann sag mir, wieviel habt ihr denn solcher Samenkörner?« – »Herr, es ist ein ganzes Säckchen voll. Morgen früh will mein Mann sie dem König zum Geschenke machen.« – »Weib, wenn du in mein Haus ziehen wolltest, so würde ich eine List ins Werk setzen.« – Die Frau sagte: »Ich bin einverstanden!« – »So geh schnell nach Hause. Dein Mann wird noch schlafen. Gib mir diese Samen[1]!« Die Frau ging nach Hause und bähte alle Samen; dann steckte

1 hier scheint der ursprüngliche Wortlaut geändert zu sein oder etwas zu fehlen; denn die Frau tut sogleich etwas anderes, als ihr Buhle ihr aufgetragen hat, und tut es, ohne seine Absicht zu kennen.

sie sie wieder in den Sack und legte sich an ihres Mannes Seite schlafen.

Am Morgen nahm ihr Gemahl die Samenkörner zum König mit und machte diesem seine Aufwartung. Als der König die Rückkehr der Wagen erfuhr, freute er sich. Dann legte der Kaufmann dem Fürsten sein Geschenk vor und zeigte ihm die Samen, indem er ihm mitteilte, wie die Früchte zustande kamen. Da sagte der Buhle Schrīwant: »Herr, aus Freude darüber, daß seine Wagen zurückgekommen sind, ist der Mann wahnsinnig geworden. Wenn diese Samen aufgehen, so magst du, Wīrarādsch, aus meinem Hause forttragen, was du mit deinen beiden Händen zu fassen vermagst. Gehen die Samen aber nicht auf, so will ich aus deinem Hause holen, was ich mit beiden Händen fasse.« Der König ward als Zeuge angerufen, und die Samen wurden gesteckt. Wie aber hätten sie aufgehen können, da sie gebäht waren?

Der Kaufmann Schrīwant hatte also seine Wette gewonnen, und Wīrarādsch hatte verloren. Betroffen ging er nach Hause, sann nach und war in großer Sorge.

Der Papagei fragte: »Prabhāwatī! Wie wird unser Wīrarādsch loskommen?« Prabhāwatī antwortete: »Ich weiß es nicht.«

Da erzählte der Papagei weiter:

Darauf fragte der Handelsherr seinen Diener: Höre, mein Diener! Befindet sich unter unseren Wagen und sonstigen Fuhrwerken ein Wagen oder ein Fuhrwerk, welches einen drei Tagereisen langen Weg in einer Nacht hin und zurück zu machen imstande ist? Haben wir ein solches Kamel oder Roß?« Da antwortete der Gehilfe: »Wir haben ein Rossegespann, welches einen Weg von drei Tagereisen in drei Stunden zurücklegt.« Da sagte Wīrarādsch zu seinem Gehilfen: »Schirre den Wagen an und mach ihn fertig!« Der Wagen ward fertig gemacht, Wīrarādsch und sein Gehilfe setzten sich beide hinein und fuhren nach der Stadt Manibhadrapur. Abends neun Uhr kamen sie in ihr an. Als sie ankamen, sagte der Kaufmann zum Torhüter: »Meldet dem König, Türsteher: ›Dein Wegfreund Wīrarādsch ist da.‹« Da dachte der Türsteher: »Das ist der Kaufmann, von dem mir der König gesprochen hat.« Darum meldete er ihn dem König, und der Kaufmann ward aufgefordert einzutreten. Er verneigte sich vor dem Fürsten und erzählte ihm die Geschichte von der Schlange und dem goldenen Mann und was darauf geschehen war. Da sagte der König zu ihm: »Ich hatte dir doch gesagt, lieber Freund, du solltest keinem

Weibe ein Geheimnis anvertrauen. Nun hast du es doch getan! Laß trotzdem den Mut nicht sinken, Wīrarādsch! Die Sache ist nicht gefährlich!« – »Herr, daß dann nur die Nacht nicht vergeht!« – »So laßt den Wagen anschirren!« Darauf fuhren sie zu dritt, der König, der Gehilfe und Wīrarādsch, nach der Stadt Rādschgrahī. Es war im letzten Teile der Nacht, um sechs Uhr, als sie glücklich abstiegen. Dann unterhielten sich die drei.

Inzwischen war Wīrarādschs Frau in der Nacht zu ihrem Buhlen gegangen, um mit ihm zu genießen. Ihr Buhle hatte zu ihr gesagt: »Liebe Madanmandscharī! Möglicherweise gelingt die List, durch welche du in mein Haus kommst.« – »So Gott will, Herr, nimmt die Sache einen glücklichen Verlauf. Mich sollte es freuen.« – »Wenn du kommst, so bring nur so viel Schätze als möglich aus dem Hause mit.« Das Weib hatte gesagt: »Ich will's schon machen.« Dann war sie wieder heimgekehrt.

Der Morgen brach an. Der König, der Kanzler und andere Leute kamen alle zusammen herbei. Der Buhle forderte den König auf, ihm zu folgen, und ging schnell in Wīrarādschs Haus. Er ging hinein, vom König begleitet.

Nun hatte aber der andere König, Wīrarādschs Freund, die List gebraucht, daß er alles Gut und die Frau auf den Oberboden bringen, die Leiter aber hatte wegnehmen lassen. Er ließ dem einheimischen König und dem Buhlen Schrīwant sagen: »Nimm dir, Schrīwant, was du in deine beiden Hände fassest.« Schrīwant sah sich überall um; aber im ganzen Hause war nichts zu finden. Schließlich aber sah er das Weib auf dem Oberboden sitzen; es hatte alle Kostbarkeiten und den goldenen Mann in seinen Händen. Um es herabzuholen und hinaufzusteigen, faßte der Buhle Schrīwant mit beiden Händen, um seine Torheit auszuführen (?), die Leiter. Da sagte der König von Manipur: »Sehet, Brüder! Schrīwant hat mit beiden Händen die Leiter im Hause aufgehoben. Legt ihm also diese Leiter auf den Kopf und weist ihn hinaus!« Alle Anwesenden stimmten dem zu.

Darauf fragte der König von Rādschgrahī den König von Manipur: »Höre, Fremdling, was ist das?« Der andere sagte ihm den Grund: »Um das Weib zu bekommen, hat der Buhle diese Samen bähen lassen. Wie können sie da aufgehen?« Da verstand der König den Fall. Er behielt den anderen König als Gast bei sich, und nachdem er ihn fünf bis sieben Tage bei sich behalten und ihm viele Rosse, Elefanten, Kamele, Soldaten und Geschmeide geschenkt hatte, entließ er ihn nach Hause.

Dem Buhlen Schrīwant wurde die Nase abgeschnitten, sein ganzes Gut wurde eingezogen, und er und das Weib wurden des Landes verwiesen. Wīrarādsch aber vermählte sich mit einer anderen Frau.

In dieser Weise erzählte der Papagei Prabhāwatī die Geschichte; und als diese sie gehört hatte, legte sie sich schlafen.

Die dankbare Nachtigall

Es wird erzählt, daß ein Landmann einen Garten besaß, der voll war von Blumen und Früchten.

Ein Rosenbeet ist dem Garten der Jugend gleich,
An Rosen und Knospen, an Säften und Schönheit reich.

An der Ecke eines Rasenplatzes befand sich ein Rosengebüsch, und jedes seiner Stämmchen war frischer als die Schößlinge des Glücks und übertraf die Bäume der Freude. Jeden Morgen blühten neue Knospen auf, und der Besitzer des Gartens hatte seine Freude daran, sie zu betrachten.
Eines Tages war er wieder ausgegangen, um die wundervolle Pracht der Blumen zu schauen. Da sah er, wie eine Nachtigall ihren Kopf auf eine Rose gelegt hatte und laut ihr Liedchen sang und wie sie dabei mit ihrem scharfen Schnabel deren farbenprächtige Blättchen beschädigte.
Als der Mann sah, wie die Rose zerstört wurde, riß ihm die Geduld; er ward böse auf die Nachtigall, breitete ein verräterisches Netz über den Weg, streute trügerische Körnchen aus, fing den Vogel und sperrte ihn in einen Käfig.
Die Nachtigall war tief betrübt; sie löste ihre Zunge wie ein Papagei, so daß sie wie die Menschen reden konnte, und sprach: »Lieber Mann! Weshalb hast du mich gefangen? Ich bin in meiner tiefsten Seele betrübt. Hat dich meine süße Stimme dazu verleitet? Nun, mein Nest befindet sich ja in deinem Garten! Sollte dir aber etwas anderes in den Sinn gekommen sein, so sage mir, was es ist; ich will mich in Geduld fassen und schweigen.«
Der Bauer sagte: »Weißt du denn nicht, wie sehr du mich betrübt hast? Wie du meine Rosen vernichtet hast, an denen mein ganzes Leben hängt? Und wie du mir allen Grund gegeben hast, darüber zu trauern?«
Die Nachtigall erwiderte: »Das solltest du mir verzeihen. Denke doch einmal recht darüber nach, daß ich nur des geringen Vergehens wegen, weil ich eine einzige Rose verdorben habe, nun in einem Käfig gefangensitze. Wie wird es da erst dir ergehen, der du ein Herz betrübst?«
Diese Worte rührten ihn, und er ließ die Nachtigall frei. Die Nachtigall aber dankte ihm und sprach: »Weil du dich mir ge-

genüber als wohltätig erwiesen hast, so will gewiß auch ich mich dir mit einer Wohltat dafür erkenntlich zeigen. Wisse, unter dem Baum, unter dem du stehst, ist ein mit Goldmünzen angefüllter Wasserkrug vergraben. Grabe ihn aus und verwende ihn zu deinem Nutzen!«

Als der Landmann die bezeichnete Stelle aufgrub und sich die Angabe der Nachtigall bewahrheitete, sagte er: »Ei, Nachtigall! Mich wundert, daß du den Krug unter der Erde zu sehen vermochtest, nicht aber die Schlinge, welche auf der Erde lag.« Da gab ihm die Nachtigall zur Antwort: »Weißt du's denn gar nicht? Wenn es Gottes Wille ist, so schwindet das Licht aus dem Auge der Weisheit, und die Beratung des Verstandes bringt keinen Nutzen.«

Der König von Kaschmir

Man erzählt, daß der König von Kaschmir eine geliebte Gemahlin besaß, ein feenhaftes Geschöpf. Da aber die Untreue den Frauen im Blute liegt, so ward sie die Freundin eines jungen Mannes, welcher ein Amt am Hofe bekleidete, und der junge Mann ließ sich von ihren Reizen umgarnen. Durch Zeichen und Winke verständigten sich der Liebhaber und die Geliebte untereinander.
Eines Tages indessen bemerkte das der Fürst. Das Feuer der Eifersucht loderte in seinem Busen empor; doch überlegte er sich, daß schnelles Handeln hier alles andere bedeuten würde als Klugheit, und daß es wider die Vorsicht verstieß, wollte er in der Aufregung die beiden, sosehr sie seine Feinde waren, beseitigen.
Er tat also, als ob er den Vorfall nicht bemerkt hätte, sah äußerlich darüber hinweg, faßte aber in seinem Herzen den Entschluß, die beiden Ungetreuen zu bestrafen, ohne daß jemand etwas davon bemerkte.
Am nächsten Tag bestieg der König den Thron des Glücks und ließ unter hoch und niedrig verkünden, er werde Geschenke verteilen. Als er sein Vorhaben ausgeführt hatte und wieder Ruhe um ihn herrschte, behielt er seinen Wesir zu vertrautem Gespräch zurück, um ihm mitzuteilen, was nächtlicherweile hier vorging, und um nach seinem Rate jene beiden in das Reich des Nichtseins wandern zu lassen, obwohl ihm die Herrscherin Klugheit zuraunte: »Verbirg deine Absicht vor deinem Wesir und tu, was dein Herz begehrt!« Aber er hörte nicht auf den Rat der Klugheit; alles, was sein Herz bewegte, erzählte er seinem Minister und erbat sich dazu dessen Rat.
Der Minister riet, die beiden zu töten, und sagte, es sei das beste, ihnen Gift zu trinken zu geben, natürlich so, daß außer dem König und ihm keine Seele etwas davon erführe. So müsse das Vorhaben ausgeführt werden, damit sich der Vorhang der Schmach nicht öffne und der Faden des guten Rufes nicht zerreiße.
Als der Wesir nach Hause kam, traf er seine Tochter tief bekümmert an; und als er sie nach ihres Grames Ursache fragte, erfuhr er, daß des Königs Gemahlin sie unfreundlich behandelt und sie beschimpft hatte, wodurch sie unter ihren Angehörigen

und ihren Genossinnen entehrt war. Den Wesir betrübte das in seinem Herzen; doch sagte er zu ihr: »Mach dir nur keine Gedanken darüber; denn in zwei bis drei Tagen wird ihr Lebenslicht verlöschen und die Rose ihres Daseins verwelken.« Das Mädchen fragte ihn, was das bedeutete, und der Minister entdeckte ihr etwas von dem strengen Geheimnis, schärfte ihr jedoch ein, es sorgfältig zu bewahren. Seine Tochter freute sich über diese gute Nachricht, verließ ihren Vater und ging hinaus. Zur selben Zeit aber war eine von den Haremsdienerinnen gekommen, um ihr ihre Teilnahme zu bezeigen.
Doch als sie mit ihren Trostesworten begann, sagte die Wesirstochter zu ihr: »Sei unbesorgt! Wenn mich auch die Herrin der Himmelsgegenden beschimpft hat, ohne daß ich es verschuldet hätte, so steht Ihrer Majestät die Strafe schon nahe bevor.« In scheinbarer Freude fragte die Sklavin: »Woher weißt du das? Und wann wirst du ihrer Tyrannei ledig werden?« Die Wesirstochter antwortete: »Wenn du mein Geheimnis zu wahren imstande bist, so will ich dir erzählen, wie sich's damit verhält.« Und als die Dienerin das mit vielen Eiden beschworen hatte, erzählte ihr jene alles, was sie in ihrem Herzen verwahrte. Die Sklavin kehrte schnell zurück und erstattete ihrer Herrin Bericht. Diese ließ ihren Geliebten in ihr Privatgemach kommen und teilte ihm mit, wie die Sachen standen. Da begab sich dieser, von einer Anzahl Übeltäter begleitet, zum König und stieß dessen Lebensschiff in den Strudel der Vernichtung.
Er hatte eben sein Geheimnis offenbart, und deshalb war es mit ihm zu Ende.

Sultan Sulaimān und der Reiher

Ich habe vernommen, daß in den Tagen der Herrschaft Sultan Sulaimāns, welcher der König aller lebenden Wesen war, der Menschen wie der übrigen, aus der unsichtbaren Welt ein Weiser an seinen Hof kam und ihm einen Becher brachte, welcher mit dem Wasser des Lebens gefüllt war, und daß er zu ihm sprach: »Durch göttliche Eingebung ist mir eröffnet worden, daß Deine Majestät in kurzem aus dieser Welt abscheiden muß, wenn du diesen Becher nicht leerst. Doch wenn du ihn leerst, so ist dir ein langes Leben beschieden. Darum habe ich diesen Becher mit dem Wasser des Lebens gefüllt und ihn dir gebracht. Wenn es deine Seele begehrt, magst du es trinken und magst leben bis zum Tag der Auferstehung. Doch kannst du's auch unterlassen; dann aber rüste dich zum Aufbruch in die Welt des Nichts: denn also ist es befohlen.«
Da dachte der Herrscher Sulaimān in seinem Herzen: »In dieser Sache muß ich mich mit den Weisen beraten.« Und seinem Befehl entsprechend traten die Weisen und Scharfsichtigen jeder Art, Menschen wie Tiere, alle vor ihn. Er öffnete ihnen das verborgene Geheimnis, und alle richteten herzerfreuende Worte an ihn, um ihm zu raten, das Leben zu wählen. Sie sagten: »Das Bargeld des Lebens ist ein Kapital, mit dem man, wenn man es weise verwendet, gute Taten sammelt und dadurch Gottes Huld erwirbt.« Kurz, alle waren der festen Meinung, der König müsse den Becher mit dem Wasser des Lebens leeren.
Sulaimān – Friede ruhe auf ihm! – fragte: »Ist einer unter meines Reiches Weisen nicht in unserer Ratsversammlung zugegen?« Alle sagten: »Jener Reiher ist nicht da.« Da entsandte Sulaimān das Roß, ihn zu laden. Der Reiher, welcher in einem abgelegenen Winkel lebte, weil er zufrieden war und es aufgegeben hatte, sich ins Getriebe der Welt zu mischen, beachtete des Rosses Worte nicht und blieb, wo er war. Da schickte Sulaimān abermals einen Boten, den Hund, mit dem Auftrag, jenen zu holen; und auf des Hundes Worte hin begab sich der Reiher an des Fürsten Hof. Der König sagte zu ihm: »Ich habe dich zu einer Beratung laden lassen; doch bevor ich dir eröffne, was ich begehre, sollst du mir sagen, weshalb du dem Rufe des Rosses nicht gefolgt bist, welches eine hervorragende Stelle unter den edelsten der lebenden Wesen behauptet, während du

dem Rufe des Hundes folgtest, welcher in aller Augen ein gemeines Wesen ist.« Der Reiher entschuldigte sich zunächst seiner Unweisheit und Armut wegen und sprach sodann: »Wie wäre ich würdig, daß diese Führer unter den Weisen meiner gedenken? Da mir aber das Schicksal freundlich war und sie meiner gedacht haben, so hoffe ich, daß diese Ehre mir Weisheit verleihen möge, auf daß ich infolge ihrer Führung das Wort spreche, welchem das Herz deiner gesegneten Majestät zustimmt. Majestät! Obwohl das Roß trefflich ist in Anbetracht seiner edlen Gestalt, so hat es doch niemals auf der grünen Wiese der Treue geweidet und hat nicht einen Tropfen getrunken aus dem Quell der Dankbarkeit. Die Weisen der Vorzeit sind darin einig, daß dem Weibe, dem Schwerte und dem Rosse die Treue gebricht. Wenn der Hund dagegen dem Auge auch gemein erscheint, so hat er sich doch von dem Bissen der Treue genährt und hat die Gewohnheit der Dankbarkeit als sein Teil erkoren. Da ich infolge des Unglücks meines Lebens in einem abgelegenen Winkel saß, so schenkte ich dem Worte jenes Treulosen kein Vertrauen; als aber der Getreue und Vielgeschmähte kam, so wußte ich, daß er die Wahrheit sprach, und kam an deinen Hof.«

Der Fürst billigte seine Rede und fragte ihn nun, ob er das Wasser des Lebens trinken solle. Der Reiher sprach: »Werdet Ihr allein des Lebens Wasser trinken oder es auch Euren Freunden zu trinken geben und denen, die es gut mit Euch meinen?« Der König erwiderte: »Es ist nur für mich gesandt; anderen davon zu geben, habe ich keinerlei Befugnis. Weshalb soll ich es ihnen geben?« Da sagte der Reiher: »O Herr der Welt! Welche Freude kann das Leben besitzen, wenn man vorher von seinen Gefährten und Freunden scheiden muß? Euch hat Gott zum Oberhaupt in seiner Welt gemacht. Ohne Helfer wird Euch kein Werk gelingen.«

Der Herrscher lobte die Worte dieses echten Weisen und gab das Wasser des Lebens zurück.

Die alte Frau und ihre Tochter Muhastī

Man erzählt, daß eine alte Frau eine Tochter namens Muhastī hatte, die über die Maßen schön und lieblich war. Infolge göttlichen Beschlusses aber wandte sich deren Glück, so daß sie erkrankte und das brennende Fieber sie schwächte. Die Alte war unaufhörlich um sie herum und betete und flehte ohn' Unterlaß: »O Seele deiner Mutter! Wär' es mir doch vergönnt, mein Leben für dich zu opfern! Ich will mich gern für dich zum Opfer bringen.« An jedem Morgen klagte und jammerte sie und sprach: »O Gott! Verschone dieses Kind und nimm dafür meine Seele, die Seele der Alten, die welk ist wie Heu und am Leben übersättigt.« Kurz, in mütterlichem Mitleid verharrte die Alte Tag und Nacht, indem sie betete und klagte.

Da traf sich's, daß eine ihrer Kühe von der Weide zurückkam, in die Küche trat und angezogen vom Brodem ihren Kopf in ein Kesselchen steckte und alles auffraß, was sich darinnen befand. Als sie den Kopf aber wieder herausziehen wollte, brachte sie's nicht zuwege. Sie wußte sich nicht zu helfen, kam mit dem Kessel auf dem Kopfe aus der Küche heraus und lief irrend von einem Winkel in den andern. Plötzlich fiel der Blick der Alten auf diese Schreckensgestalt. Sie entsetzte sich und dachte: »Die Leute haben schon immer behauptet, ein Engel komme und bemächtige sich der Seelen; und das ist jetzt der Fall. Kein Zweifel! Er ist gekommen, um Muhastīs Seele gefangenzunehmen.« Da kreischte sie auf und jammerte und wimmerte und rief: »Ich bin nicht Muhastī, Engel des Todes! Ich bin eine geplagte alte Frau. Bist du gekommen, dich ihrer Seele zu bemächtigen: Muhastī ist drinnen im Hause. Geh hinein, ergreife die Seele und laß mich in Frieden!«

Der Arzt und der Kranke

Ein Mann kam zu einem Arzte, und da ihn Leibschmerzen peinigten, warf er sich zu Boden und wälzte sich umher, jammerte in seiner Schwäche und bat um ein Heilmittel. Der Arzt fragte die Begleiter des Kranken: »Was hat er denn heute gegessen?« Sie sagten: »Heiße Brotschnitten.« Der Arzt gab [seinen Dienern] die Weisung: »Reicht mir ein Mittel, welches die Sehkraft stärkt! Ich will es diesem Kranken in die Augen träufeln!« Da schrie der Mann: »Ach, Doktor! Das ist doch kein Anlaß zu Spaß und Scherz! Ich habe Leibschmerzen, daß ich laut aufschreien muß, und du weist mir eine Medizin für die Augen an! Was hat denn ein Augenwasser mit Leibschneiden zu tun?«
Der Arzt erwiderte ihm: »Ich will dir die Sehkraft schärfen, damit du Schwarz und Weiß unterscheiden lernst und nicht wieder heißes Brot verzehrst.
Darum ist es wichtiger, dir die Augen zu kurieren, als den Bauch.«

Der Araber und der Bäcker

Ein Wüstenaraber kam in die Stadt Bagdād, und als er dort in eines Bäckers Laden Brote gewahrte, ward er aufgeregt, wußte aber vorläufig nichts zu tun, als von ihrem Dufte zu leben. Als er aber der Brote Antlitz betrachtete, zerriß er schließlich den Kragen seiner Geduld, ging zu dem Bäcker und sagte zu ihm: »Was nehmt Ihr dafür, Meister, damit ich mir an Euren Broten den Bauch vollessen kann?« Der Bäcker bildete sich ein, dieser Jüngling gliche den andern, und dachte: »Wieviel wird er essen? Sollte er ja recht hungrig sein, so wird er doch nicht mehr als zwei bis drei Brote verzehren können.« Dann sagte er: »Nun, Araber, gib mir einen halben Dinar und iß, soviel du willst!« Der Araber zahlte seinen halben Dinar und setze sich am Tigris nieder; und der Bäcker langte ihm ein Brot nach dem andern zu. Der Araber aber feuchtete jedes im Wasser an und verzehrte es. Schon hatten die Brote den Wert eines halben Dinars überschritten und waren auf den von vier Dāng gestiegen; aber auch diesen Wert überstiegen sie noch und gelangten zur Höhe eines Dinars. Da wußte sich der Bäcker nicht mehr zu helfen und sagte: »Hör mal, Araber! Wieviel willst du denn noch essen?« Der Araber gab ihm zur Antwort: »Solange dieses Wasser weiter fließt, gedenke ich auch weiter zu essen.«

Nachwort

Wenn der Titel von »Märchen« spricht, so ist dieses Wort nicht in dem technischen Sinne zu fassen, den ihm die europäische Wissenschaft beilegt, sondern in dem allgemeinen Sinne der erdichteten Erzählung. Die Einteilung der Erzählungen in Märchen, Schwänke, Fabeln, Novellen, Sagen, Geschichte, Mythe usw. beruht auf der Weltanschauung der Europäer und den literarischen Formen ihrer Literatur; für den Inder, der die Dinge, die ihn umgeben, mit völlig anderen Augen sieht als wir, hat diese Einteilung keinerlei Berechtigung.

Des Inders ganzes Leben von seiner Geburt bis zu seinem Tode ist von den religiösen Anschauungen beherrscht, in denen er aufwächst. Mit wenigen Ausnahmen aber sind die indischen Religionen noch heute wie in der grauen Vorzeit des wēdischen Altertums polytheistisch. Die Dreiwelt oder die drei Welten, d. h. die Welten der Götter, der Menschen und der Dämonen oder mit anderen Worten: Himmel, Erde und Unterwelt oder Hölle sind mit göttlichen und dämonischen Wesen aller Art gefüllt. Die spätere Zeit kennt wie mehrere »Inseln«, d. h. Kontinente, auf denen Menschen wohnen, auch mehrere Himmel und Höllen. Die verschiedenen Religionsgemeinschaften haben über diese Dinge zum Teil verschiedene Anschauungen entwickelt. Alte Götter sind aus ihrer ursprünglichen Machtsphäre im Laufe der Zeit herabgesunken, ja ganz aus dem Pantheon verschwunden, und neue sind in Menge an ihre Stelle getreten; aber der Grundzug der indischen Mythologie ist bis auf den heutigen Tag derselbe geblieben.

Die indische Götterwelt setzt sich zusammen aus anorganischen und organischen Naturkräften, die nur teilweise in Menschengestalt gedacht werden, aus Dämonen und aus Abstrakten. Die Dämonen werden namentlich in späterer Zeit sehr oft den Göttern gleichgesetzt und wie diese mit dēwa, »Gott«, bezeichnet. Daneben treten vergöttlichte Menschen und Menschen, die auf Grund der Kaste, der sie angehören, auf Grund der Askese und auf dem Wege des Zaubers den höchsten oder niedrigeren Göttern gleichstehen. Alle diese Geschöpfe leben in Welten für sich unter eigenen Königen oder kommen nebeneinander in der Welt der Menschen vor. Der immer in Menschengestalt gedachte Götterkönig oder »König der 30 (32) Götter«, der Himmelsgott Indra, der seinen diamantenen Donnerkeil (wadschra) als furchtbare Waffe führt, ist in alter Zeit der Fürst des Himmels. In späterer Zeit treten bei den Brahmanen über ihn das personifizierte Abstraktum Brahman (Himmelsfeuer) als persönlicher Gott und Schöpfer, Wischnu als Erhalter, Schiwa als Vernichter und Herr des Zaubers, dem die Krieger und die Räuber, die Hexen und Zauberer huldigen. Bei den Dschaina werden die 24 Propheten oder Dschina (Arhat) vergöttlicht und in späterer Zeit als die »Obergötter« betrachtet, denen alle anderen untergeordnet sind. Der König der Vögel ist der göttliche Adler Garuda, später als Wischnus Reittier gedacht, der König der Vierfüßler je nach den verschiedenen Gegenden Indiens der Löwe oder der Tiger, der König der Pflanzen in wēdischer Zeit der Sōma, das Kraut, aus welchem zu Opferzwecken der Unsterblichkeitstrank gebraut wurde. Das Gefäß, in dem dieser indische »Nektar« – in späterer Zeit Amrita, »Unsterblichkeit«, genannt – bei den Göttern aufbewahrt wird, ist der Mond, der oft mit ihm unmittelbar identifiziert und ebensooft zugleich persönlich gedacht wird. Denn die Inder haben die den alten Indogermanen überhaupt eignende merkwürdige Gabe, sich personifizierte Naturkräfte zugleich in ihrer elementaren und in ihrer vermenschlichten Gestalt vorzustellen, während es andererseits auch zahlreiche Stellen in der Literatur gibt, die von Verwandlungen aus der einen in die andere Gestalt sprechen.

Einige Beispiele für die höheren Wesen, welche nach indischem Glauben die Welten bevölkern, seien hier angeführt. Himmel (Winatā in Gestalt eines weiblichen Adlers), Erde (Kadrū in Gestalt einer weiblichen Schlange), Feuer (Agni), Sonne (Sūrja), Mond (Tschandra), Morgenrot (Aruna), Wolke (Pardschanja), Winde (Marut); Flüsse (Apsaras, zugleich Götterhetären am Hofe Indras), namentlich die Gangā, der Strom, der aus der Welt der Götter, in der man sie als Milchstraße sieht, auf Schiwas Haupt herabfällt und von da aus durch die Welt der Menschen in die Unterwelt strömt; das Meer; der Himālaja, dessen Tochter Durgā, die mit blutigen Opfern verehrte Göttin, Schiwas Gemahlin ist; Bäume: die Wunschbäume und Wunschlianen in Nandana, dem Park Indras, gelegentlich aber auch auf der Erde, welche alle an sie gerichteten Bitten erfüllen, wie unter den Steinen die Wunschedelsteine; Tiere: die Kuh, die überall in Indien als heiliges Wesen gilt; die acht Weltelefanten, welche die Haupt- und Nebenhimmelsgegenden bewachen,

der Adler Garuda, der die Schlangen vertilgt. Alle diese dämonischen Tiere können Menschengestalt annehmen. Unter den Gestalten, in denen Wischnu die Welt erlöste, befinden sich die tierischen des Fischs, der Schildkröte, des Ebers und des Schimmels. In einer anderen Verkörperung tritt er als Mischgestalt halb Mensch, halb Löwe auf. Außer dem bereits genannten, zum obersten brahmanischen Gott erhöhten Abstraktum Brahman gibt es noch andere Abstrakta, welche als Götter und Göttinnen gedacht werden und jederzeit Menschengestalt annehmen können: z. B. Wātsch, die Rede, die als Hymnus – Gebet oder Zauber – die Götter zum Geben zwingt, als Fluch, namentlich aus dem Munde eines Brahmanen, zu unfehlbarem Verderben führt. Die Segens- und Fluchformeln sind dem Inder noch heute nicht zu bloßen Höflichkeitsphrasen oder Interjektionen des Ärgers verblaßt, wie dem Europäer, sondern haben Zauberwirkung. Wie in der Sūra-Geschichte (S. 78 ff.) der Siegeswunsch zum wirklichen Siege führt, so siegt in wēdischer Zeit Indra durch den Siegeswunsch und Lobpreis der Windgötter. Niemand denkt sich bei uns mehr etwas dabei, wenn er einem Niesenden »Gesundheit!« zuruft. Der Inder, der in gleichem Falle »dschīwa!« (»lebe!«) ruft, weiß, daß er damit verhindert, daß dem Niesenden der Lebenshauch aus der Nase fährt.
Der Zauber spielt in Indien überhaupt eine große Rolle; wer die verschiedenen Geheimwissenschaften studiert, vermag sich zum Herrn der Menschen wie höhere Wesen zu machen. Dem Schiwa und seiner Gemahlin Drugā (Dēwī, Bhattārikā), deren Tempel auf den von allem Spuk umgebenen Verbrennungsplätzen stehen, welche zugleich Richtstätten und oft im Walde gelegen sind (»Väterhaine«, d. h. Ahnenhaine), huldigen auch die Hexen, die die übernatürliche Macht, die sie besitzen, namentlich dem Genuß von Menschenfleisch verdanken. Sie suchen darum nächtlicherweile die Verbrennungsplätze auf und verzehren die Leichen oder wissen sich auf andere Weise Menschenfleisch zu verschaffen. Weiter gewinnt man übernatürliche Kräfte durch strenge Askese, und ganz allgemein als Götter, die auf Erden wandeln, als »Erdengötter« (bhūdēwa) werden die Brahmanen bezeichnet. Der jeweilige Oberpriester der verschiedenen wischnuistischen Sekten gilt als Inkarnation Wischnus. Sonst genießen nur der König und die Königin göttliche Ehren, indem man sie mit dēwa, »Gott«, und dēwī, »Göttin«, anredet, was wir nach altem Herkommen abschwächend mit »Majestät« übersetzen. Zauberzeremonien sind die Opfer,

durch die man die Götter in seine Dienste zwingt, seine Gegner vernichten und alles erreichen kann, was man will.
Unter den Dämonen sind besonders die Rākschasa (fem. Rākschasī) zu nennen, welche teils eigene Staaten bewohnen, teils in der Menschenwelt und meist nächtlicherweile ihren Spuk treiben und sich von Menschenfleisch nähren, auf menschliche Frauen lüstern sind (S. 66 f.), in ihrer weiblichen Form auch die Pest verursachen und Schwangeren gefährlich werden, wie andere Dämonen die Menschen durch andere Krankheiten schädigen (S. 50) und die Empfängnis verhindern; niedere Götter sind die Jakscha, welche sich die brahmanischen Inder als Diener Kubēras, des Gottes des Reichtums, denken, während sie bei den Dschaina ohne diese Beschränkung oft als Schutzgottheiten von Dörfern und Städten, aber auch als Diener der Dschina erscheinen. Die Dämonen hausen namentlich gern auf Feigenbäumen (njagrōdha, vata, pippala), besonders wenn diese auf Leichenverbrennungsplätzen stehen.
Nachdem in spätwēdischer Zeit die Lehre von der Einheit der Einzelseele mit der Weltseele allgemeine Verbreitung gefunden, entwickelte sich aus ihr die Seelenwanderungslehre, die Lehre, welche behauptet, daß jede Einzelseele eine Reihe von Tier-, Menschen-, Dämonen- oder Götterexistenzen durchmachen muß, bis sie erlöst werden kann. Die Taten (karman) bestimmen das folgende Dasein. Existenzen im Himmel sind bei den Dschaina noch nicht gleichbedeutend mit der Erlösung; diese besteht erst im Nirwāna, der denkbar geläutertsten Existenz im Schītā-Himmel, während sie bei den brahmanischen (hinduistischen) Indern mit dem Aufenthalt im Himmel des Gottes der betr. Religionsgemeinschaft oder Kaste zusammenfällt. Der »Schatz guter Werke« (punja), der bei den Dschaina besonders durch Schonung alles Lebens, durch Tempelbauten, durch Unterstützung der Mönche und der Armen und durch ein sittlich einwandfreies Leben erworben wird, zeitigt Glück in den folgenden Existenzen, während jedes Vergehen in ihnen Unglück zur Folge hat. Eine Vergebung der Sünden kennt diese Religion nicht.
Kein europäisches Märchen vereinigt so viel heterogene Wesen in sich, wie die wēdische Dichtung. Bei den anderen Indogermanen trennte sich mit fortschreitender Kultur der Mensch von den übrigen Geschöpfen: bei den Indern wurde er ihnen noch mehr genähert durch die Seelenwanderungslehre, die noch heute das religiöse Denken der Hindu beherrscht. Nach dieser

Lehre besteht zwischen Pflanzen, Tieren, Menschen, Dämonen und Göttern überhaupt kein Wesensunterschied; nur die bei einzelnen von ihnen sogar in demselben Dasein, bei allen in den verschiedenen Existenzen wechselnden äußeren Gestalten sind zeitweilig verschieden. So können die Inder denn auch weder Tiererzählung noch Märchen als besondere Gattungen empfinden, wie sie andererseits keine wirkliche Geschichte als Wissenschaft entwickelt haben. Für die Hindu verschwimmen Geschichte und Märchen, Wirklichkeit und Dichtung völlig ineinander. Alle Erzählungen ihrer großen Literaturen gelten ihnen als gleich wahr oder zum mindesten als gleich möglich. Darum mangelt ihren Märchen — abgesehen von manchen in dschaina-theologischen Kommentaren auftretenden lehrhaften Geschichten — auch die Unbestimmtheit der europäischen; sie beginnen nicht mit einem allgemeinen »Es war einmal«, sondern nennen fast immer Stadt und Land, König und Kanzler, auch wenn diese in der betreffenden Erzählung gar keine Rolle spielen, und natürlich erst recht die Helden der Erzählung, mit Namen. Viele Erzählungssammlungen und Erzählungen, welche wir als Märchen bezeichnen würden, sind in Indien mit historischen Persönlichkeiten verknüpft (Wikramāditja, Mundscha, Bhōdscha). Was wir als Märchen oder Legende oder Sage betrachten, hat in den Augen des Inders, der an alle die Wunderwesen und Wunderdinge glaubt, die in ihnen vorkommen und nach seiner Überzeugung ihn täglich und stündlich umgeben und sein Leben beeinflussen, denselben Wert wie für uns die Geschichte oder der realistische Roman. Und wenn sich das Außergewöhnliche in Erzählungen, wie der von Sūra und den Hexen (S. 78 ff.), in besonderem Maße häuft, so findet auch dies seine nach indischer Anschauung ganz natürliche Erklärung, sobald am Ende dieser Erzählung ein allwissender Mönch den Helden derselben auseinandersetzt, wer sie in früheren Existenzen gewesen sind und was sie getan haben, und ihnen ihre wunderbaren Erlebnisse im gegenwärtigen Dasein als Folgen ihrer Taten im vergangenen erläutert.

Man kann die Erzählungen einteilen in solche, die dem Nutzen, solche, die der Liebe, solche, die der Religion dienen, und solche, die mehrere dieser Zwecke zugleich verfolgen. Diese Einteilung beruht auf den drei indischen Lebenszielen. Unter den Erzählungen, welche dem Nutzen dienen, sind solche zu verstehen, die Klugheit lehren, teils unmittelbar, indem sie zeigen, wie man im öffentlichen und im Privatleben klug handeln soll, teils mittelbar, indem sie – wie die Narrenbücher – darlegen, wozu törichtes Handeln führt.

Die indischen Erzählungen werden in verschiedenen Formen vorgetragen, in einfacher Prosa, in Prosa mit eingelegten Märchenstrophen, wie sie uns aus den Märchen der Brüder Grimm geläufig sind, und namentlich Strophen didaktischen Inhalts, und in ganz metrischer Form, endlich in einer Mischung von Erzählung und Dialog oder in reinen Monologen und Dialogen. In diesen Monologen, Dialogen und der Mischung von Dialog und Erzählung liegen zugleich die ältesten Formen des indischen Dramas vor. Noch heute bestehen die volkstümlichen Dramen der Inder aus Dialog und Erzählung.

Das Totenbuch der Tibeter

Herausgegeben und kommentiert von Francesca Fremantle und Chögyam Trungpa. Diederichs Gelbe Reihe Band 6. 2. Aufl., 176 Seiten mit 18 Abbildungen.

Eines der großen Weisheitsbücher der Menschheit. Die neue, rasch berühmt gewordene Ausgabe von Fremantle/Trungpa mit Kommentar. Modern auch die Übersetzung. Sie orientiert sich, gestützt auf eigene Lehrerfahrung, an der praktischen Anwendung des Textes. Sie vermittelt ihn in seiner Vitalität und bildhaften Direktheit. Und sie benutzt allgemein bekannte Begriffe der modernen Psychologie, die buddhistischer Grundeinstellung erstaunlich nahekommt.

Eugen Diederichs Verlag